KV-033-800

G€LD

Kijk voor meer informatie over de kinder- en jeugdboeken van de
Gottmer Uitgevers Groep op **www.gottmer.nl**

Oorspronkelijke titel: *DOSH*
Oorspronkelijk verschenen bij Wren & Rook, een imprint van Hachette Children's Group

Vormgeving: Kathryn Slack

Voor het Nederlandse taalgebied:

Postbus 317, 2000 AH Haarlem (e-mail: info@gottmer.nl)
Uitgeverij J.H. Gottmer / H.J.W. Becht BV maakt deel uit van de Gottmer Uitgevers Groep BV
Vertaling: Leonie Hardeman
Zetwerk: Marc Volman en Bas Dorbeck, DC Studio

ISBN 978 90 257 7393 9
ISBN 978 90 257 7394 6 (e-book)
NUR 218

RASHMI SIRDESHPANDE

GEÏLLUSTREERD DOOR ADAM HAYES

GOTTMER

'VOOR MIJN VADER;
IK KEN NIEMAND DIE
GULLER IS DAN HIJ.'
– R.S.

INHOUD

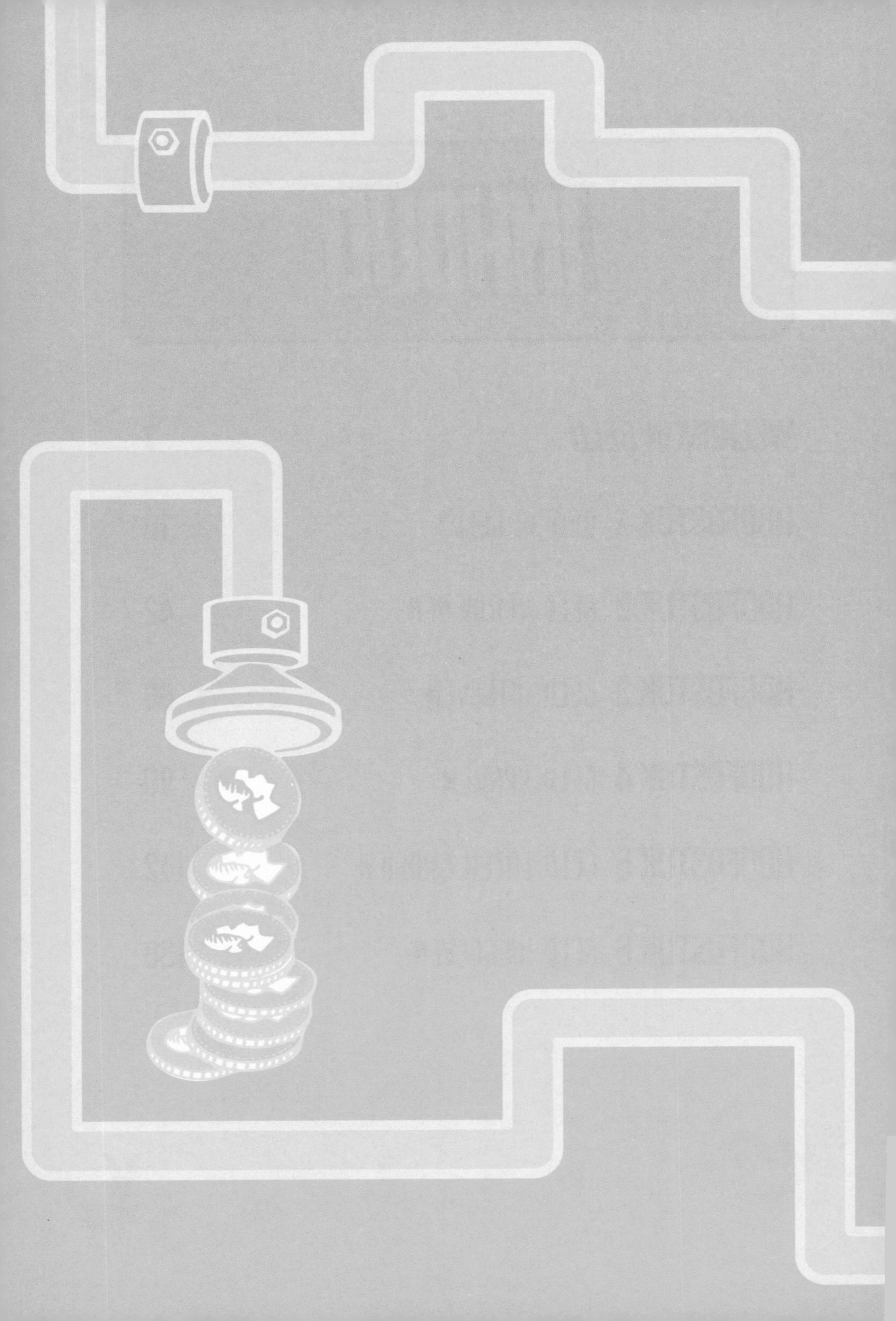

WELKOM
IN GELD

We noemen het allemaal anders en het ziet er bijna overal anders uit, maar we gebruiken **GELD** al duizenden jaren om spullen te kopen, dingen te bouwen en levens te veranderen. Waar denk jij aan als je aan geld denkt? Aan torenhoge bergen met goudstaven? Eindelijk die gitaar kopen waar je al zo lang voor spaart? Het luxeleventje van een rijke beroemdheid? Met geld kan het allemaal, maar dan moet je wel begrijpen hoe het werkt, hoe je het krijgt en wat je ermee kunt doen als je het eenmaal hebt. Pas dán kun je ervan gaan genieten. Bijvoorbeeld door die gitaar te kopen. Of door over een paar jaar het leven te leiden waar je altijd al van droomde. Dat lijkt nu misschien onmogelijk, maar met goede geldgewoonten (en slimme oplossingen als het even niet zo goed gaat) kom je een heel eind. En daar kan dit boek je bij helpen.

MAAR WACHT. WAT IS GELD?

Geld is met de tijd flink veranderd, van metalen munten in papier, in plastic, in kaarten in een digitale portemonnee op een mobiele telefoon. Maar wat je ermee kunt, is nog steeds hetzelfde:

1. **HET IS EEN RUILMIDDEL** Nu vraag je je misschien af wat dat betekent, maar dat is gewoon een chique manier om te zeggen dat we geld gebruiken om dingen te kopen en verkopen. Simpel.

2. **HET IS EEN WAARDEMIDDEL** Dit betekent dat we het niet meteen allemaal uit hoeven te geven. We kunnen het bewaren en later gebruiken, of sparen als we er meer van nodig hebben. Sparen voor een ticket naar de ruimte? Kan gewoon. (Je kunt die kaartjes zelfs al kopen, wist je dat? Ze zijn alleen nogal duur.)

3. **HET IS EEN REKENEENHEID** We kunnen het tellen om erachter te komen hoeveel we hebben – handig! – en we kunnen het gebruiken om te bepalen hoe duur iets is, ook in vergelijking met andere dingen.

Geld heeft een slechte reputatie. Maar het is niet het geld zelf dat goed of slecht is; het gaat erom wat je ermee doet. Als je het slim gebruikt, kun je er allerlei goede dingen mee doen – en in de basis hebben we het gewoon nódig. Geld zorgt voor een dak boven je hoofd, eten in je maag en kleren aan je lijf. Dankzij geld kun je naar school en als het nodig is naar een dokter of ziekenhuis. Je kunt er een bedrijf mee opzetten en je familie onderhouden. En na een ramp kun je er zelfs complete steden mee heropbouwen. **DUS JA, GELD KAN FANTASTISCH ZIJN.**

Maar geld kan ook slecht zijn. Bijvoorbeeld als je het gebruikt om duistere of illegale zaakjes mee te betalen. Het kan voor stress zorgen: sommige mensen zijn bang dat ze er te weinig van hebben. Anderen maken er ruzie om. Weer anderen denken dat geld gelukkig maakt, en dat méér geld nóg gelukkiger maakt. Maar rijk en ongelukkig zijn, dat kan gewoon – net als arm zijn en extreem gelukkig. Je kunt altijd maar meer en meer willen (zelfs miljonairs hebben dromen die ze niet kunnen betalen), maar soms is het slimmer om gewoon tevreden te zijn met wat je hebt. Als je je basisbehoeften op orde hebt, zijn de mooiste dingen in het leven echt gratis, zoals afspreken en lachen met je beste vrienden.

We moeten dus uitvogelen hoe we ons geld góéd kunnen gebruiken (en **NIET** voor iets slechts), hoe we er genoeg van krijgen om rond te kunnen komen en hoe we het de baas blijven in plaats van dat het de baas is over ons.

GELD ALS GEREEDSCHAP

Als we zeggen dat we geld willen, zeggen we eigenlijk dat we alles willen wat we met dat geld kunnen doen en beleven en dat we het leven willen leiden dat erbij hoort. De hele dag stapels geld tellen, als een slechterik in een film, is namelijk niet per se leuk. Je kunt het beter gebruiken om eropuit te trekken en de wereld te ontdekken. En hoewel je geld niet kunt eten, kun je er wel een lekkere chocoladetaart van kopen. Of een warme maaltijd voor iemand die honger heeft. Misschien hebben we überhaupt geen stapels geld nodig. Misschien is het wel voldoende als we genoeg hebben om een fijn, comfortabel leven mee te kunnen leiden. Naar díé einddoelen streef je – niet naar de biljetten of munten waarmee je die doelen behaalt.

Nu heb je waarschijnlijk geen wonderlamp, en dus maar een beperkte hoeveelheid geld. Dat betekent dat je moet bedenken wat je ermee wilt doen. Prioriteren heet dat: keuzes maken.

PRIORITEREN = LIJSTJES MAKEN

VAN SUPERBELANGRIJK

NAAR

MWAH, EIGENLIJK HELEMAAL NIET ZO BELANGRIJK

Het slechte nieuws is dat mensen nogal slecht zijn in prioriteren en keuzes maken.

Het goede nieuws is dat er altijd een oplossing is. Als we een beetje nadenken en dingen niet overhaasten, kunnen we best goede keuzes maken.

HO, STOP. Wat voor keuzes? Elke keer als je geld krijgt, kun je dat geld:

Deze keuzes zijn allemaal manieren om **met je geld om te gaan**.

Omgaan met geld. Wees eens eerlijk: klinkt dat saai? Heel veel volwassenen vinden het niet alleen saai, maar ook doodeng.

En **SAAI + ENG = EEN GEVAARLIJKE COMBINATIE.** Toch werd er jarenlang op school en thuis amper aandacht besteed aan geldzaken. Je werd gewoon volwassen en – **BOEM!** – je moest het maar zien te regelen.

Ik heb het ook nooit geleerd. Ik had geen idee. En het klonk allemaal zo ontzettend saai dat ik nooit de moeite nam om me erin te verdiepen. Tot ik volwassen werd, allemaal rekeningen kreeg en dromen had, en… Nou ja, toen móést ik het wel uitvogelen. Ik wist een paar dingen over geld. Bijvoorbeeld dat mijn ouders er vroeger niet veel van hadden. En dat ze heel hard werkten om meer te verdienen. Ik zag dat ze hun weinige geld gebruikten voor goede dingen, zoals mensen helpen. Daardoor leerde ik dat geld iets is om respect voor te hebben – iets waar je voor zorgt. Tegelijkertijd zag ik mensen die ermee worstelden. Mensen die hun rekeningen niet konden betalen en niet het leven konden leiden waar ze op hoopten. Hoe hard ze ook hun best deden.

Veel mensen hebben geldproblemen. Dat is niks om je voor te schamen: over veel dingen heb je geen controle en het leven kan soms flink tegenzitten. Maar als je weet hoe je het beste met je geld kunt omgaan, ben je voorbereid op zulke situaties en kun je ze misschien zelfs wel voorkomen. En als je dan toch in de problemen raakt, kun je een plan bedenken om ze op te lossen. Dit boek is een ultiem geldhandboek. Een spiekbriefje waarop staat wat je allemaal kunt doen met je **GELD**, hoe je ervoor kunt zorgen en wat je kunt doen als het lastig wordt.

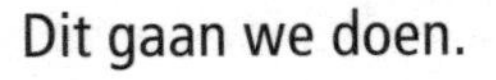

Dit gaan we doen.

Eerst gaan we onderzoeken **WAT GELD IS**, hoe het met de jaren is veranderd en hoe het er in de toekomst uit zou kunnen zien.

Daarna bekijken we **HOE JE HET VERDIENT**. We bespreken vaardigheden waarmee je vandaag nog het verschil kunt maken, we praten over banen in loondienst én we denken na over zelfstandig ondernemen. (Ik heb zelfs al wat ideeën voor je waar je gelijk mee kunt beginnen.)

Vervolgens komt het leuke gedeelte: **HOE JE HET KUNT UITGEVEN**. Daar weten we alles van. Toch? Je geld slim uitgeven betekent dat je weet wat je koopt – en dat je je niet te vaak laat verleiden door reclames. We hebben het hier over keuzes maken en vooruitdenken, en je leert een **budget** te maken (da's een duur woord voor een **PLAN**).

Dan bespreken we een iets minder leuke, maar wel heel belangrijke vraag: **HOE JE HET SPAART**. Als je dat goed én al vroeg doet, zou het zomaar kunnen dat je over een paar jaar al een leuk bedrag op de bank hebt staan. Daar hebben we het trouwens ook over: banken. Best handig om te weten wat daar precies gebeurt.

De grote vraag komt daarna: **HOE JE HET LAAT GROEIEN**. Ze zeggen dat geld niet op je rug en aan bomen groeit, maar het groeit wel degelijk. Hoe precies, dat gaan we samen bekijken. Sparen is namelijk niet de enige manier.

DIT IS EEN GELDBOOM.
Een van de vele soorten. Valt je iets op? Precies: geen geld te zien. Maar het zijn wel heel leuke planten. Veel mensen denken dat ze geluk brengen.

Als laatste bespreken we **HOE JE GELD WEGGEEFT**. Want dat kan op een heleboel manieren. Hoe meer geld je verdient, spaart en laat groeien, hoe groter je vermogen (daar kom ik op terug op pagina 113) en hoe meer geld je kunt geven aan mensen of organisaties die jij belangrijk vindt. Heb je niet zo veel geld om te doneren? Dan heb je waarschijnlijk wel iets anders: tijd. Daar kun je ook gul mee zijn.

BEN JE ER NOG? MOOI ZO.
LATEN WE BEGINNEN.

HOOFDSTUK 1
WAT IS
GELD?

Bij het woord 'geld' denk je waarschijnlijk aan biljetten en munten. Misschien een creditcard of een app. Maar vroeger ging het er heel anders aan toe. Als je iets nodig had, moest je dat tegen iets anders ruilen. Dat systeem heette RUILHANDEL. Als je bijvoorbeeld eten wilde, moest je iets wegdoen om het te 'kopen'. Wát je precies moest wegdoen, hing af van wat de ander wilde. En hoevéél je ervan wegdeed, hing af van hoe graag de ander het wilde.

Ruilen is niet makkelijk. In de woestijn heeft het bijvoorbeeld totaal geen zin om iemand een wollen trui aan te bieden in ruil voor een ijsje, want in de woestijn is geen behoefte aan truien (tenzij het zo'n woestijn is waar het 's nachts heel koud wordt). Maar als je het met een flesje water probeert, zou het zomaar eens kunnen lukken.

Het eerste ruilhandelsysteem ontstond ongeveer 9000 jaar voor Christus in Egypte. Mensen ruilden toen van alles, van koeien en schapen tot granen en groenten. Op den duur ontstonden er handelsroutes tussen steden en begonnen handelaren ook dingen te ruilen als wapens, dure stenen, specerijen en zout.

Daardoor werd de handel een stuk interessanter – maar er ontstonden ook problemen.

VEE VERVOEREN IS BEST EEN UITDAGING.

GRANEN EN GROENTEN KUNNEN ROTTEN.

EN VERSE PRODUCTEN ZIJN SOWIESO LASTIG.

Wat als je alles wilt opslaan om het later te verhandelen? Hoelang blijven die groenten goed? Of erger: wat als de oogst mislukt? En wat als de persoon met wie je wilt ruilen jouw handel niet lust?

Mensen stopten niet met ruilen toen er munten en biljetten kwamen. Het werd alleen overzichtelijker. Rond het jaar 130 na Christus, tijdens de Han-dynastie, werd in China de zijderoute geopend. Dat was een verzameling handelsroutes tussen het Verre Oosten en Europa. Handelaren gebruikten die routes in groepen – karavanen – en ruilden er onder andere thee en zijde uit China, katoen en specerijen uit India, dadels en pistachenoten uit het Midden-Oosten en glas, goud en zilver uit het Middellandse Zeegebied.

Ook nu ruilen mensen nog. Sommige bedrijven betalen bijvoorbeeld met spullen en diensten in plaats van met geld. En jij hebt vast ook weleens een stuk speelgoed, boek, snack of kledingstuk geruild met een vriend, of met je broertje of zusje. Dus jij ruilt ook!

Zou het niet veel handiger zijn als er iets was waarmee je dingen kon kopen en verkopen? Iets wat je makkelijk mee kunt nemen en lang meegaat? Iets wat iedereen zou kunnen gebruiken? Yep, hier komen de biljetten en munten in beeld.

GELD: EEN GIGAKORTE GESCHIEDENIS

KLINKENDE MUNTEN – 2000 V.CHR.

In Mesopotamië (tegenwoordig Irak en Syrië) worden zilveren **spiraalringetjes** gebruikt als geld, lang voordat de eerste munten gemaakt worden. De waarde – in sjekels – hangt af van het gewicht: één maand werken staat gelijk aan ongeveer 1 sjekel. Volgens de wet van de stad Esjnoenna krijg je een boete van 10 sjekels als je iemand in zijn gezicht slaat. In iemands neus bijten kost je 60 sjekels. **SLIK**.

SCHEPEN VOL SCHELPEN – 1200 V.CHR.

In delen van India en China gebruiken mensen **kaurischelpen** als geld. Dat is veel handiger dan rondsjouwen met vee of karren vol granen. Kauri's zijn klein en hard en heel moeilijk na te maken door hun vorm en textuur.

Zo'n 2000 jaar later nemen handelaren de schelpen mee naar West-Afrika. Tussen 1700 en 1790 verscheepten de Nederlanders en de Britten ongeveer 10 miljard kaurischelpen vanuit de Indische Oceaan naar West-Afrika, waar ze ze ruilden voor miljoenen slaven. Dit is een voorbeeld van de slechte kant van geld. Sommige mensen doen er uit hebberigheid afschuwelijke dingen mee.

ALS BIJ KONINGSSLAG – 600 V.CHR.

In Lydië (tegenwoordig Turkije) zijn ze er als een van de eersten bij met **munten slaan**. De munten worden gemaakt van elektrum – een mix van goud en zilver – en zijn versierd met een brullende leeuw. Omdat de munten koninklijke steun krijgen, is de kwaliteit gegarandeerd. Lydische koningen staan trouwens bekend om hun rijkdom. Ze hadden het geld nog net niet op hun rug groeien.

KONING MIDAS EN ZIJN GOUDEN HANDEN

De Paktolos-rivier was een belangrijke elektrumbron in Lydië. Volgens een oude Griekse legende kwam dat doordat koning Midas er zijn gouden handen in waste. Het verhaal van Midas gaat over hebzucht. Hij wenste dat alles wat hij aanraakte in goud zou veranderen, en Dionysos, een Griekse god, vervulde die wens. Midas werd er weliswaar superrijk door, maar dat ging ten koste van iets anders: zijn familie, eten en drinken veranderden ook in goud. Midas was wanhopig en smeekte Dionysos om een oplossing. Die zei toen dat hij zijn gouden handen van zich af kon wassen in de rivier.

Ineens zijn munten helemaal hip. Iedereen wil ze gebruiken. Ze worden ook populair in steden als Athene en Rome. Terwijl ze in Athene eerst nog ijzeren spijkers als geld gebruikten – **NIET ECHT GOED** voor de gezondheid en veiligheid.

VAN MES NAAR MUNT – 221 V.CHR.

De eerste keizer van China, Qin Shi Huangdi, verenigt het land en introduceert een universele **bronzen munt**. Alle andere lokale munten verbiedt hij. Eerder gebruikten mensen in China vaak kleine bronzen scheppen en messen als geld. Veel makkelijker om mee te nemen dan echte scheppen en messen, maar wel vrij puntig! Stel je voor dat je ze in je zak stopt en vergeet dat ze erin zitten… De nieuwe munt is mooi rond en heeft een vierkant gat in het midden, zodat je hem aan een touwtje kunt rijgen. **PRACHTIG ÉN PRAKTISCH**. In het oude China geloofden mensen dat de aarde vierkant is en de hemel koepelvormig, dus de munt is eigenlijk een symbool van de harmonie tussen hemel en aarde. Leuk, hè?

PAPIERGELD!

VLIEGEND GELD – 806 N.CHR.

Omdat grote aankopen veel munten kosten, en omdat er simpelweg niet genoeg munten zijn, ontwikkelen Chinese handelaren **papiergeld**. Ze noemen het *fei chien* (vliegend geld, omdat het zo licht is dat het zomaar weg kan waaien) en het werkt als een tegoedbon: een belofte dat het papier ingewisseld kan worden voor munten. Handelaren ruilen dus met papiergeld dat ze thuis kunnen inwisselen voor munten – en dat is nog maar het begin. Na een paar honderd jaar brengt de Chinese overheid ook officieel papiergeld in omloop.

GELD UIT HET NIKS – 1275-1292

De Venetiaanse ontdekkingsreiziger Marco Polo ontdekt papiergeld tijdens zijn reizen naar China. Het doet hem denken aan alchemisten, die goud uit niks maken; hier maken ze geld van iets niksigs als papíér. Het is licht en goedkoop en eigenlijk gewoon fantastisch. Marco Polo neemt het idee enthousiast mee naar Europa, maar de Europeanen weten het zo net nog niet. Het duurt nog zo'n 300 jaar voordat ook zij aan het papiergeld gaan.

NEPGELD

Het Chinese papiergeld is een vorm van **fiatgeld**. Dat betekent dat het papier waarvan de biljetten zijn gemaakt (en het metaal waarvan de munten zijn gemaakt) zelf niet veel waard is. De waarde ontstaat doordat de overheid zegt: 'Hé, dit is geld.' (*Fiat* is Latijn voor 'laat het zo zijn'.) Zolang mensen de overheid en de wetten vertrouwen, is dat prima. Maar zodra mensen dat vertrouwen verliezen, daalt de waarde van het geld **ONMIDDELLIJK**.

Ons geld is ook fiatgeld. Omdat de materialen waarvan dat fiatgeld is gemaakt niet erg bijzonder zijn, proberen sommige sneaky mensen het na te maken. Dat is alleen niet makkelijk: munten hebben ingewikkelde patronen en ribbelige randjes om vervalsing te voorkomen, en biljetten hebben bijvoorbeeld watermerken en hologrammen. Je kunt ze testen met uv-licht of speciale pennen die alleen op nepgeld kunnen schrijven.

OP DE BON – 1661

Zweden drukt **bankbiljetten**, als eerste land in Europa. Eindelijk! (Het eerste papiergeld in wat we nu Amerika noemen zal in 1690 gedrukt worden door de Massachusetts Bay Colony.) Koperen munten zijn zwaar en daardoor lastig om mee te nemen, dus de eerste bank van Zweden, Stockholms Banco, brengt biljetten in omloop die kunnen worden gebruikt als tegoedbon. Alleen... de bank maakt meer bonnen dan er munten zijn. Ze hopen maar dat niet iedereen zijn geld op hetzelfde moment zal opnemen.

Het gaat goed, dus de bank drukt meer biljetten. En meer. En meer. En doordat er nu zó veel biljetten zijn, zijn ze minder waard als eerst, dus mensen haasten zich naar de bank om hun tegoedbonnen in te ruilen voor de vertrouwde koperen munten. De bank heeft er alleen niet genoeg. **OEPS!** De bank gaat failliet en heel veel mensen zijn hun spaargeld kwijt. Het is afschuwelijk. Maar op pagina 28 zul je zien dat het niet de laatste keer is...

MAGISCH GELD – 1871

ONZICHTBAAR GELD

Western Union, een Amerikaanse bank, regelt 's werelds eerste **elektronische geldoverschrijving**. 'Geld overmaken' noemen ze het. Dit is een **BIG DEAL**. Geld verplaatsen zonder het fysíék te verplaatsen? **MAGIE!**

DE GROTE DEPRESSIE – 1929-1939

Ken je die scène uit *Mary Poppins* waarin de kleine Michael Banks zijn geld terug wil van de bank? Mensen horen hem daarover praten en raken vervolgens in paniek omdat ze denken dat iederéén zijn geld terug wil. Daardoor wil iedereen dan ook écht zijn geld terug en heeft de bank in de film, net als de bank in het zeventiende-eeuwse Zweden, niet genoeg geld op voorraad. Uiteindelijk wordt het een ramp. En dat is precies wat er gebeurde in 1929 en 1930 in Amerika, toen de beurs crashte. (Op pagina 122 vertellen we meer over de beurs.)

Omdat het gerucht ging dat de banken niet genoeg geld hadden, raakten mensen in paniek en probeerden ze hun geld op te nemen. Toen iedereen dat deed en de banken inderdaad niet zo veel geld op voorraad bleken te hebben, gingen ze failliet. Duizenden banken. Heel veel mensen verloren AL hun spaargeld. Dat leidde tot de Grote Depressie, een lange, nare periode waarin veel mensen hun banen en zelfs hun huizen kwijtraakten.

'PORTEMONNEE VERGETEN!' – 1950

In 1950 wordt de **creditcard** geboren. Frank McNamara bedenkt hem als hij in een restaurant in New York City ontdekt dat hij zijn portemonnee is vergeten (zijn vrouw moet komen om zijn eten te betalen). Hij schaamt zich kapot en besluit dat dit hem nooit meer mag gebeuren. Hij ontwikkelt de Diners Club Card: een klein kartonnen kaartje dat direct aanslaat. Mensen gebruiken het om ermee te betalen en krijgen aan het eind van de maand een rekening. Binnen vijf jaar wordt de kaart wereldwijd geaccepteerd, en in 1959 heeft de Diners Club **ÉÉN MILJOEN** leden.

In de jaren zestig en zeventig wordt de creditcard echt populair. Geld uitgeven is immers veel makkelijker zonder fysiek geld. Waar je bij de eerste creditcards (zoals de Diners Club Card) nog je héle maandschuld moest voldoen, zijn er inmiddels ook creditcardbedrijven die werken met rentebetalingen. Daardoor kunnen mensen nu ook geld uitgeven dat ze niet eens hebben.

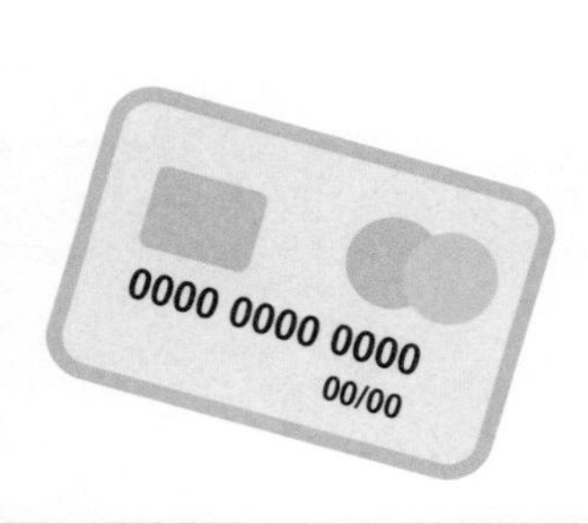

DIT is waar het gevaarlijk wordt. Kaarten zijn heel makkelijk en snel in gebruik. Als je niet goed onthoudt hoeveel geld je hebt en hoeveel je uitgeeft, kun je een **HOOP** problemen krijgen. Daarover lees je in het volgende hoofdstuk meer.

ONLINE GELD – JAREN 90

We slaan aan het **internetbankieren**. In de jaren tachtig kon dat ook al, maar nu komt het in een stroomversnelling – en alles verandert erdoor. Mensen kunnen hun geld nu met één enkele muisklik uitgeven en overmaken en ze kunnen online zien hoeveel er nog op hun bankrekening staat. Tegenwoordig is het meeste geld op de wereld elektronisch geld. Geen stapels biljetten bij de bank dus, maar regels programmeertaal met jouw naam erop op de computer van je bank.

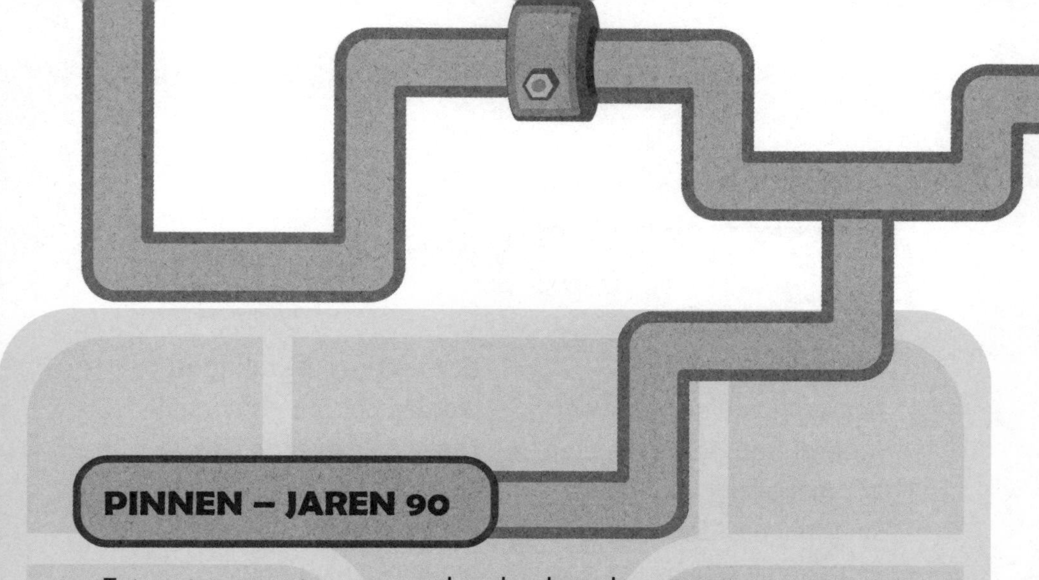

PINNEN – JAREN 90

Tot nu toe moesten mensen hun bankpas langs een kaartmachine halen en een bonnetje tekenen als ze er iets mee wilden kopen. Maar bankpassen zijn makkelijk na te maken en handtekeningen eenvoudig te vervalsen. Daarom wordt de **pinpas** geïntroduceerd. Als je daarmee wilt betalen, moet je eerst een viercijferige pincode invoeren ('pin' staat voor 'persoonlijk identificatienummer') – en dat maakt je bankpas een stuk minder interessant voor criminelen. Dat wil zeggen: zolang je geen té makkelijke pincode kiest, zoals 1234, of je geboortejaar, of iets als 2580. Die laatste ziet er misschien willekeurig uit, maar het zijn van boven naar beneden de cijfers in het midden van het toetsenbord. ***NIET DOEN!***

Steeds meer banken bouwen handige apps voor **mobiel bankieren**. En die zijn niet alleen voor hippe smartphones! Dankzij M-Pesa, een slimme sms-dienst, kun je in Kenia zelfs met de simpelste telefoon geld overmaken via een sms'je.

Contactloze betalingen worden ook steeds normaler. Om je geld over de balk te smijten hoef je nu alleen nog maar je bankpas of telefoon tegen een pinautomaat te tikken. EITJE. Of is het misschien té makkelijk? Tikken voelt niet als uitgeven. Gelukkig zit er vaak een limiet op zulke betalingen, zodat je niet per ongeluk AL je geld uitgeeft.

Contactloos betalen komt niet in alle landen tegelijk van de grond. In Engeland zijn ze er bijvoorbeeld al in 2007 bij, terwijl we in Nederland pas in 2013 mobiel bankieren. Inmiddels is het een heel populaire betaalmanier in landen als Australië, Canada, Singapore en Zweden. (Daar willen ze in 2030 zelfs helemaal cashvrij zijn!)

CRYPTOGELD – 2009

DE **BITCOIN** IS EEN FEIT: DE ALLEREERSTE **CRYPTOMUNT**, OFTEWEL **VIRTUELE MUNT**. **BITCOINS** WERKEN VOLGENS HETZELFDE PRINCIPE ALS GELD, MAAR DAN **VOLLEDIG DIGITAAL**, ZONDER BILJETTEN OF MUNTEN.

OP PAGINA 36 LEES JE ER MEER OVER.

BUITENLANDSE VALUTA

Vind jij het ook zo verwarrend dat je geld er op vakantie buiten Europa ineens heel anders uitziet? Soms zijn het dollars (verschillende soorten zelfs), soms ponden, kronen, yens, roepies, peso's of nog iets heel anders. We breken ons hoofd tijdens zo'n vakantie **CONSTANT** over de vraag hoeveel ze nou waard zijn. Dat komt doordat de meeste landen hun eigen geldsoort hebben – hun eigen **valuta**. In dit boek staan alle voorbeelden bijvoorbeeld in euro's, omdat het een Nederlands boek is. Maar als je het in een ander land leest, kun je de euro's omrekenen naar dollars of ponden of welke valuta je ook maar gebruikt.

Mensen kopen en verkopen spullen in hun eigen geldsoort, dus als je naar een land buiten de Europese Unie gaat, heb je het geld van dat land nodig. Dat kun je kopen bij een bank of geldwisselkantoor. Hoeveel je krijgt voor je geld hangt af van de wisselkoers. De wisselkoers bepaalt namelijk de waarde van de ene geldsoort ten opzichte van de andere. Stel, je woont in **APPELLAND**, waar je met appels betaalt, en je gaat naar **PERENLAND**, waar ze met peren betalen, dan gebruik je de wisselkoers om te zien hoeveel peren je krijgt voor je appels.

Je krijgt dus twee peren voor elke appel. Heb je zes peren nodig voor je trip? Dan kost dat je drie appels. Tenminste, als je je geld vandáág inwisselt. Wisselkoersen veranderen continu. De waarde van een geldsoort hangt van allerlei dingen af, zoals het vertrouwen van mensen in de overheid. Als de wereld geen vertrouwen meer heeft in de overheid van Appelland, worden appels minder waard en heb je veel meer appels nodig voor die peren.

CRYPTOGELD

WAAROM AL DIE BITCOINHEISA? EN WAT ZIJN BITCOINS EIGENLIJK?

Cryptomunten, zoals de bitcoin, zijn heel nieuw en héél spannend. Zó nieuw en spannend zelfs dat mensen ze nog niet helemaal begrijpen. Maar we gaan het gewoon proberen. **OKÉ?**

Oké. Bitcoins bestaan alleen in computercode. Het zijn dus geen fysieke munten en biljetten die je in je zak kunt stoppen; het is virtueel geld. Een beetje zoals de muntjes die je verzamelt tijdens het gamen – behalve dan dat het écht geld is en dat je het ook naar iemand anders kunt sturen. Of er iets mee kunt kopen op plekken waar ze bitcoins accepteren (wat nog niet overal is).

Er zijn twee belangrijke dingen die je erover moet weten:

1 ER ZIJN GEEN BANKEN EN OVERHEDEN VOOR NODIG

Waarom niet? Omdat niet iedereen die vertrouwt! Weet je nog, de Grote Depressie? Dat was erg. En banken speelden ook een grote rol in de wereldwijde financiële crisis van 2008 (meer daarover op pagina 130). Bij de meeste valuta is het de overheid die de geldvoorraad beheert, en voor een transactie heb je de bank nodig. Met bitcoins is dat niet zo. Daarbij gebeurt alles tussen mensen.

2 HET IS SUPERVEILIG

Bitcoins zijn **versleutelde** computerbestanden. 'Versleuteld' betekent dat ze beveiligd zijn met geheime codes die hacken extra moeilijk maken. Je geld is dus veel veiliger (en je identiteit ook).

De bitcoin is bedacht door een **HEEL GEHEIMZINNIGE** persoon of groep mensen met de naam **Satoshi Nakamoto**. We weten nog steeds niet wie dat is of zijn.

Elke **bitcointransactie**, dus een overschrijving of betaling met bitcoins, wordt opgeslagen in een openbaar elektronisch archief dat de **blockchain** heet. Daarin staan álle bitcointransacties die ooit zijn gedaan. Iedereen kan erbij – maar iedereens identiteit blijft beschermd.

Voordat een transactie in de blockchain komt, wordt-ie gecontroleerd door **bitcoindelvers of -miners** over de hele wereld. Die miners hebben geen pikhouwelen, maar wel heel krachtige computers die supermoeilijke wiskundepuzzels kunnen oplossen. Wie de code als eerste kraakt, krijgt wat bitcoins. Zo worden bitcoins gemaakt.
Ze worden gedolven.

Bitcoins delven is net **GOUD** zoeken. Je moet er keihard voor werken, en er is maar een beperkte voorraad – van slechts 21 miljoen bitcoins.

EN ER IS NOG IETS AAN DE HAND MET DE BITCOIN...

De hardware om bitcoins te delven verbruikt **VEEL** elektriciteit. Volgens sommige mensen evenveel als een klein land. Dat is hartstikke slecht voor het milieu. En omdat je identiteit in de blockchain wordt beschermd, is de bitcoin perfect voor de **SLECHTSTE SLECHTERIKEN**, die natuurlijk anoniem willen blijven. Gelukkig heeft de politie ook slimme wiskundecomputers, waarmee ze zulke slechteriken steeds beter kunnen opsporen.

WAAR KUN JE BITCOINS KRIJGEN?

Net als alle andere valuta koop je bitcoins op basis van de actuele wisselkoers, bijvoorbeeld op een cryptohandelsplatform als Coinbase. Let op: je hebt er wel een bitcoinwallet voor nodig. Als je uit Appelland komt, kun je met de wisselkoers bepalen hoeveel appels je moet ophoesten voor een deel van een bitcoin. Yep, dat lees je goed: je hoeft niet per se een hele bitcoin te kopen (dat kan aardig in de papieren lopen). Een stukje bitcoin kan ook.

DE TOEKOMST VAN GELD

Er zijn véél cryptomunten in omloop. Zelfs volwassenen snappen nog niet precies hoe ze werken. Geloof je me niet? Vraag het maar aan de eerste de beste volwassene die je ziet. Maar één ding weet ik wel, en dat is dat elke nieuwe vorm van geld ons leven verandert. Cryptogeld is nog vrij nieuw, dus we weten nog niet wat voor toffe dingen we er allemaal mee kunnen – of welke risico's er misschien aan kleven. Laten we het dus maar goed in de gaten houden.

GELD IN EEN NOTENDOP

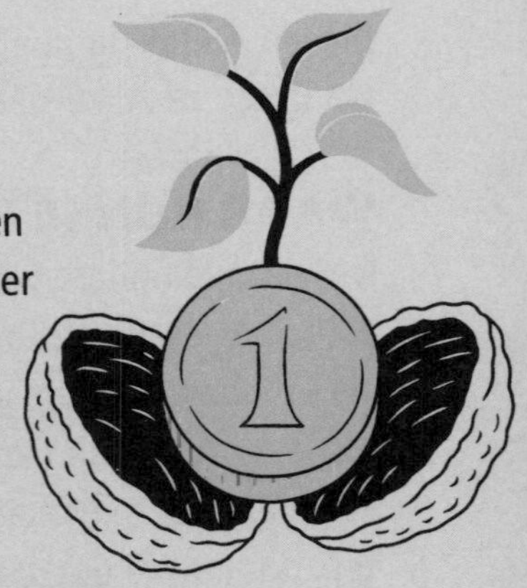

- **Heel vroeger,** lang voor er biljetten en munten waren, ruilden mensen met onder andere vee en granen. Vee is alleen lastig te vervoeren en granen kunnen gaan rotten. En wat doe je als niemand interesse heeft in jouw spullen?

- **Daarom werden er munten ontwikkeld,** die er aanvankelijk overal anders uitzagen: van kaurischelpen tot minimessen. Ze waren wel allemaal makkelijk mee te nemen en gingen lang mee.

- **De eerste munten** (zoals we ze nu kennen) werden rond 600 voor Christus geslagen in Lydië.

* **Papiergeld** werd voor het eerst gebruikt door Chinese handelaren, ergens rond het jaar 806.

* **Veel later, in de twintigste eeuw,** werd onzichtbaar geld populair – in de vorm van creditcards, internetbankieren en supersnelle contactloze betalingen. Geld overmaken en uitgeven werd daardoor veel makkelijker.

* **In 2009 ontstond** 's werelds eerste cryptomunt: de bitcoin. Helemaal virtueel en als het goed is ook superveilig.

* **Tot nu toe** veranderde elke nieuwe vorm van geld iets aan onze manier van doen. Misschien heeft cryptogeld dat effect straks ook. En wie weet wat voor geld we in de toekomst nog gaan gebruiken!

ZO. NU WEET JE WAT GELD IS, WAAR HET VANDAAN KOMT EN HOE HET VERANDERT. TIJD OM NA TE DENKEN OVER HOE JE HET VERDIENT. HOE JE ZELFS VÉÉL VERDIENT.

HOOFDSTUK 2
GELD
VERDIENEN

WAAR KOMT GELD VANDAAN?

Geld komt niet uit het niks. (Tenzij je wel een wonderlamp hebt. Maar waar heb je dit boek dan nog voor nodig?) Als je geld wilt, moet je het **VERDIENEN. ERVOOR WERKEN.** Je tijd, energie en talent inruilen voor geld. Maar eerst…

WAAROM WIL JE DAT GELD EIGENLIJK?

Vraag je af wat je écht belangrijk vindt.

WAT VOOR LEVEN WIL JE LEIDEN?

WAT VOOR MENS WIL JE ZIJN?

EEN PROFVOETBALLER?

EEN CREATIEVELING?

DEGENE MET DE NIEUWSTE GADGETS?

IEMAND DIE ALLES AAN GOEDE DOELEN GEEFT?

WAT HEB JE NÚ NODIG?

WIL JE JE KAMER OPNIEUW INRICHTEN?

OF MISSCHIEN EEN NIEUWE FIETS?

Nu je dat weet, kun je het onthouden, ergens opschrijven waar je het niet kwijtraakt, of een *vision board* maken.

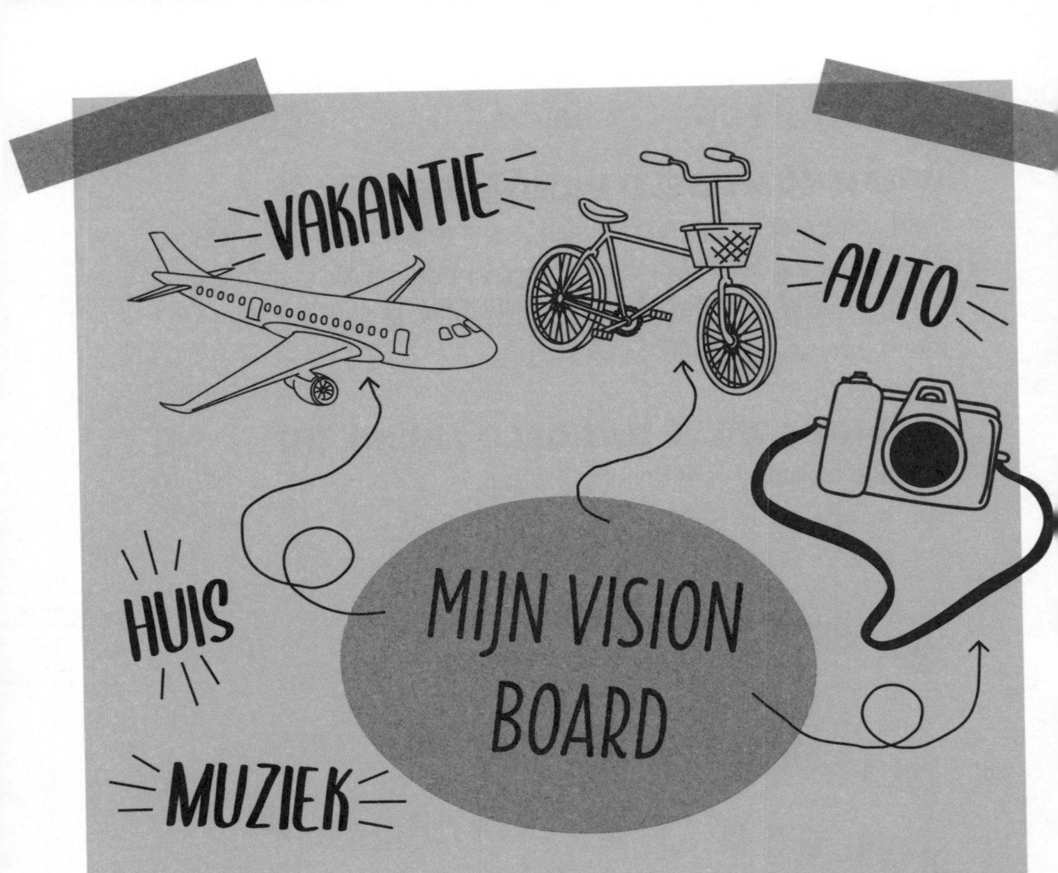

MIJN VISION BOARD

Om een vision board te maken, zet je alles waar je voor wilt sparen op papier. Schrijf, teken, schets, knip dingen uit tijdschriften en zet er woorden en doelen bij die je inspireren. **NOGAL CHEESY**, dat klopt, maar ik hou van kaas. Is je vision board klaar? Kijk er dan eens goed naar. Misschien staan er wel dingen op die amper iets kosten. Top! Zet je vision board ergens waar je het vaak ziet, als een reminder aan waar je naartoe wilt en wat je belangrijk vindt.

Als het goed is heb je nu een beter beeld van waaróm je geld wilt. Laten we eens kijken naar hoe je het kunt verdienen.

NU GELD VERDIENEN

Misschien krijg je al zakgeld op je bankrekening. Misschien doe je daar thuis wat klusjes voor of verdien je het op een andere manier. Misschien krijg je wel niets. Sommige ouders kunnen het zich niet veroorloven om zakgeld te geven – of ze doen er gewoon niet aan. Dat is helemaal aan hen (mijn ouders konden het ook niet missen). Blijf vooral aardig en geduldig.

Mocht je wél zakgeld krijgen of kunnen verdienen, dan kun je jezelf twee dingen afvragen:

1 WAT HEBBEN MENSEN NODIG?

2 WAT KAN IK DOEN?

In het bedrijfsleven verdienen mensen geld **(KA-CHING!)** als iemands behoeften samenvallen met wat iemand anders kan doen. En als ze daar ook voor willen en kunnen betalen, natuurlijk.

Dat laatste is belangrijk. Misschien ben je **STEENGOED** in gamen en veeg je de vloer aan met al je tegenstanders. Maar de volwassenen hebben het niet nódig dat je gamet, dus het is heel onwaarschijnlijk dat ze je ervoor betalen. Nú niet, tenminste. Er zijn banen waarvoor je – **ECHT WAAR** – videogames test. En professioneel gamen is tegenwoordig een echte publiekssport!

Je krijgt waarschijnlijk ook geen geld voor dingen die je sowieso moet doen. Zoals twee keer per dag je tanden poetsen, of je huiswerk maken. Of je steentje bijdragen aan het huishouden (zoals opruimen, of de tafel dekken of afruimen).

LEUK... MAAR NEE.

Tegelijkertijd: als je aanbiedt om iets extra's te doen – en dan ook echt iets nuttigs, zoals zelf kerstkaarten maken of verjaardagscadeautjes inpakken – zou het zomaar kunnen dat je geluk hebt.

TIJD VOOR EEN BONUS! Bij sommige banen krijg je een bonus als je je werk goed doet. Op dezelfde manier krijg jij het misschien voor elkaar om over extra geld te onderhandelen voor hoge cijfers of bijzondere prestaties. Maar onthoud: geld moet niet de enige, en zelfs niet de belangrijkste reden zijn dat je die dingen doet.

Als je iets wilt doen omdat iemand anders het zegt of je er iets voor geeft, noem je dat **extrinsieke motivatie** (motivatie die van buitenaf komt). **Intrinsieke motivatie** (motivatie die vanuit jóú komt) is beter. Zo noem je het als je bijvoorbeeld een schilderij maakt omdat je dat zelf wilt, of als je het volgende level van een game bereikt. Je doet het omdat je het leuk vindt. Als motivatie vanuit jezelf komt werk je harder, doe je meer je best en ben je vaak tevredener met wat je bereikt.

WAT WIL JE WORDEN ALS JE GROOT BENT?

LATER GELD VERDIENEN

Steek je vinger op als jou die vraag ooit is gesteld. Volwassenen zijn er gek op. Superirritant, want hij legt je veel druk op en het gaat altijd over één baan of één carrière. Terwijl je veel meer kunt doen om straks geld te verdienen.

Wat je ook leuk vindt en waar je maar goed in bent, er is een baan perfect voor **JOU**. (Meerdere banen, zelfs!) Zo niet, dan eet ik mijn hoed op. Ik heb geen hoed, maar dan koop ik er een, speciaal om op te eten. Dit kun je doen om dat te voorkomen:

DENK NA OVER WAT JE LEUK EN INTERESSANT VINDT

WAAR JE GOED IN BENT OF BETER IN KUNT WORDEN

ALS JE IETS HEEL GOED KUNT WAT WEINIG ANDEREN KUNNEN, BEN JE IETS OP HET SPOOR

Het vervelende is dat je met sommige banen meer verdient dan met andere. Gewoonlijk is het zo dat de goedbetaalde banen vrij pittig zijn, bijvoorbeeld omdat je er veel voor moet leren, wat tijd kost en soms ook veel geld. Maar ik zeg niet voor niets 'gewoonlijk': er zijn ook banen waarvoor je veel moet leren en die heel leuk zijn, maar waar je alsnog maar weinig voor betaald krijgt, zoals werk in de culturele sector of het onderwijs. Nee, dat is niet eerlijk en het moet **ECHT** veranderen. Maar het betekent niet dat je dat werk niet moet gaan doen. We hebben die banen nódig. Volg je hart. Als je meer geld wilt verdienen dan je met zo'n baan kunt krijgen, kun je altijd een bijbaantje overwegen. Daar hebben we het later nog over.

Je hoeft ook niet te denken dat je de rest van je leven hetzelfde werk gaat doen. Zo zit de wereld niet meer in elkaar. Vroeger wel. Toen bleven de meeste mensen hun hele leven bij dezelfde werkgever. Nu is jobhoppen veel normaler. Net als de **kluseconomie**: veel meer mensen **freelancen**. In dat geval werken ze niet voor één werkgever, maar voor een heleboel verschillende bedrijven en personen. Freelancers hebben geen vastigheid en zijn altijd op zoek naar een volgende klus, maar het biedt wel flexibiliteit en afwisseling.

Ik ben ook een jobhopper: ik stopte met mijn goedbetaalde baan als advocaat om kinderboekenschrijver te worden. Ik vond de advocatuur fantastisch, maar ik werkte dag en nacht en miste iets. Ik wilde meer vrije tijd. En ik wilde iets bijdragen aan de wereld. Heel lang dacht ik na over hoe ik dat kon doen – en toen wist ik het. Ik heb schrijven en verhalen vertellen altijd leuk gevonden en praat standaard veel te veel. Als kinderboekenschrijver mag ik **AL** die dingen doen én draag ik iets bij aan de wereld. Bovendien hoor ik nu bij de kluseconomie! Ik werk op een manier die bij mijn leven past en vind het **GEWELDIG**. Serieus. Je kunt doen wat je wilt. De wereld ligt aan je voeten!

VAN RUIMTEPILOOT TOT 3D-GEPRINT-ETEN-CHEF JOUW BAAN VAN DE TOEKOMST

Het is niet alleen de manier waarop we naar werk kijken die verandert – ook het werk zelf is anders. Tegen de tijd dat jij klaar bent met school zijn er banen die nu nog niet eens bestáán. Stel je voor! Banen als:

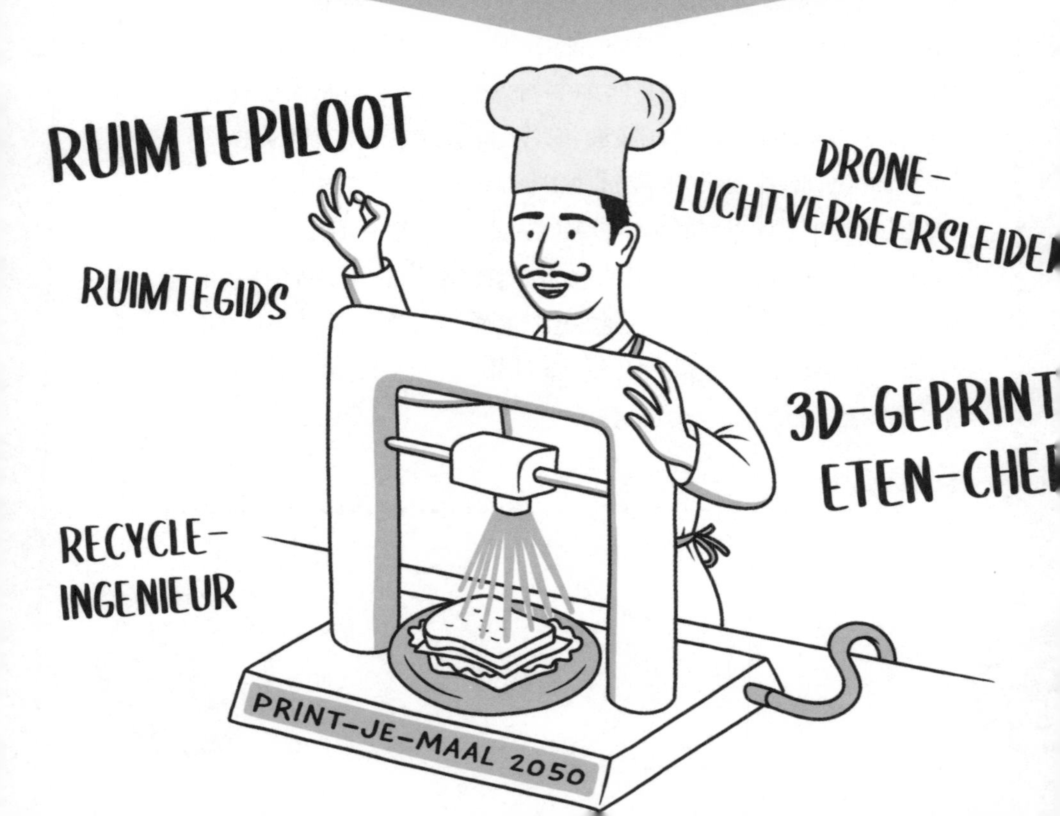

SIRIIIII,
ZET IJS OP HET
BOODSCHAPPENLIJSTJE.

Artificiële of kunstmatige intelligentie (AI) is ook geen sciencefiction meer. We hebben al robots. Soms zitten ze zelfs in onze zak, zoals Siri op je iPhone.

SIRIIIII,
ZET EEN
TIMER OP 20
MINUTEN.

Er zijn 'slimme' huizen, waar je de lampen, sloten en nog veel meer op afstand kunt bedienen. Er zijn zelfrijdende auto's die zichzelf kunnen parkeren. Er zijn chirurgische robots die assisteren bij operaties. En het is er ook op kleinere schaal, zoals bij Netflix, waar ze AI gebruiken om te analyseren wat we kijken en andere series en films aan te bevelen. Zo staat ons nog veel meer te wachten.

Een heleboel dingen veranderen. Het beste wat je daarom kunt doen is je voorbereiden op **verandering** – en dat doe je het best met nieuwe **vaardigheden**. Zoals **leren om te leren**. Misschien denk je nu: leren om te leren? Dat slaat nergens op! Maar wat ik bedoel is dat je een **BAAS** moet worden in nieuwe dingen leren. Wát je leert, dat maakt niet uit. Of het nou coderen is of koorddansen, het gaat erom dat je ontdekt welke strategieën werken voor jou. Misschien vind je het fijn om eerst ergens over te lezen, vervolgens te kijken hoe anderen het doen (in het echt of via video's) en hen na te doen, en dan te oefenen, oefenen, oefenen. Misschien kijk je liever gelijk af bij anderen, of ga je direct oefenen. Wát je leert verandert, maar hóé je leert blijft nagenoeg hetzelfde (een paar kleine aanpassinkjes daargelaten). Als je goed wordt in leren, kun je dus altijd iets nieuws proberen.

Er zijn allerlei handige vaardigheden die je kunt leren en die bij elke baan weer van pas komen. Dit zijn een paar slimme:

FLEXIBILITEIT

FLEXIBILITEIT

Stel, je werkt in een fabriek waar ze dingesen maken. Je bent een **KEI** in dingesen maken. Plotseling kondigt je baas aan dat je vanaf nu dangesen gaat maken. Mopperen en klagen heeft geen zin. Je moet je aanpassen en flexibel zijn.

TEAMWORK

FOUTEN MAKEN EN ZE OOK OPLOSSEN

Je hebt het verprutst. Je moest de danges groen schilderen, maar je hebt hem geel gemaakt. Kan gebeuren. Wees niet te streng voor jezelf. Accepteer dat het gebeurd is en denk na over hoe je het kunt oplossen.

GOED SAMEN-WERKEN MET ANDEREN

Je kunt die danges niet in je eentje maken en verkopen. Wees dus aardig tegen de mensen met wie je werkt. Leer ze kennen. Als jullie een goed team zijn, gaat het goed met de danges-zaken en hebben jullie daar allemaal profijt van.

EMOTIONELE INTELLIGENTIE

Begrijp je eigen emoties (en die van anderen) en zorg dat je weet wat je ermee moet. Als iemand niet blij is met haar danges, kun je haar dan helpen? Er voor haar zijn? En als jíj er even klaar mee bent, heb je dat dan op tijd door en vraag je om hulp? Kun je jezelf goed uiten?

CREATIVITEIT

Je baas heeft **JOU** de kans gegeven om een splinternieuwe danges te ontwerpen. Maar… je vindt jezelf niet zo creatief. Goed nieuws: iedereen is creatief. Bedenk ideeën. Schrijf ze op of teken ze, hoe suf ze ook lijken. Geef jezelf de ruimte om suf te zijn. Met een vriend, of zelfs met een heel team. Ga wandelen, luister muziek – wat maar werkt voor jou.

KRITISCH DENKEN

Dit gaat net zoals een puzzel of een probleem oplossen: je denkt verder dan je neus lang is. Je hebt net **HET GROTE HANDBOEK OM DANGESEN TE MAKEN** gekregen. Ja… maar wie heeft het geschreven? Waarom staat erin wat erin staat? Is er een betere, snellere, goedkopere manier om dangesen te maken? Dat is kritisch denken.

BESLUITVAARDIGHEID

Kiezen kan lastig zijn. Welke sokken trek je aan naar een belangrijke vergadering? Hoeveel dangesen heb je nodig? Welk prijskaartje hang je eraan? Voor zulke vragen moet je knopen kunnen doorhakken. Waar begin je? Hoe denk je dingen uit? Hoe weeg je de voors en tegens tegen elkaar af? Heb je extra informatie nodig om een beslissing te nemen?

CULTUREEL BEWUSTZIJN

Je fabriek staat in Appelland, maar er werken ook mensen uit Perenland. Mensen uit Perenland lijken erg op mensen uit Appelland, maar sommige dingen doen ze net even anders. Misschien zeg of doe jij wel dingen die in Perenland nogal… onbeleefd zijn. **OEPS**. Hoe meer je over Perenland leert, hoe beter.

Als het om **GELD** gaat, moet je natuurlijk ook een beetje kunnen rekenen. We hebben wel computers en kassa's, maar die sjouw je niet de hele dag met je mee (stel je voor!). Op school kun je een hoop leren, maar je kunt ook veel informatie vinden op internet, in boeken, tijdschriften, op websites, in apps, enzovoort. Denk je nog steeds dat je niet kunt rekenen? Geen zorgen: het is echt een kwestie van oefenen. Laat je niet bang maken door cijfers en maak je niet druk om fouten. Je komt er wel.

OEFENING BAART ECHT KUNST

Ergens goed in worden vergt oefening. **VEEL** oefening. Uren en uren en úren. Weken. Maanden. Soms zelfs jaren. Als je daar een beetje bang van wordt, heb ik goed nieuws: er is een cheatcode. Gamers, jullie weten wat dat is, toch? Een code waarmee je een level kunt overslaan, extra levens kunt krijgen of verborgen spullen kunt vinden. De ultieme cheatcode om ergens goed in te worden (of in elk geval veel beter dan je nu bent) is **GERICHT** oefenen.

Gericht oefenen betekent dat je kijkt naar de dingen die je kunt verbeteren en dat je stap voor stap werkt. Stel, je wilt goed worden in goochelen. Dan kun je niet álle goocheltrucs in één keer leren. In plaats daarvan ontleed je de stappen ernaartoe, tot in de kleinste handbeweginkjes, en doorloop je die een voor een. Test ze uit en vraag een goochelaar om verbeterpunten; feedback helpt je verder. Net als fouten maken. Fouten zijn je vrienden.

Naast een baan of freelancewerk kun je ook geld verdienen met een eigen bedrijf, als **ondernemer**. Het leuke daaraan is: dat kan nu al. Je kunt **NU** een bedrijf starten. (Hoewel alle standaarddisclaimers natuurlijk van toepassing zijn. Doe geen gekke dingen, maak je huiswerk en ga elke dag gewoon naar school.)

EEN STAPPENPLAN OM JE EIGEN BEDRIJF TE BEGINNEN

STAP 1 WAAR BEN JE GOED IN?

Maak een lijstje van alle dingen die je leuk vindt en alle dingen waar je goed in bent (of in kunt worden). Dat geeft je wat inspiratie voor stap 2 en 4.

STAP 2 WIE WIL JE HELPEN?

Bedenk wie je wilt helpen. Dat zijn je klanten. Je klanten moeten iets nodig hebben of willen wat jij ze kunt geven – en ze moeten ervoor willen betalen. Wie zijn die klanten? Wat hebben ze nodig?

STAP 3 GA OP ONDERZOEK UIT

Zijn er anderen die jouw klanten geven wat ze nodig hebben? Welke prijs vragen ze daarvoor? Doen ze het goed? Wat doen ze niet? Hoe kun jij het beter doen?

STAP 4 LOS EEN PROBLEEM OP

Bedenk een manier om het probleem van je klanten op te lossen. Willen ze een chique hoed? Maak dan een chique hoed. Willen ze een slok koele limonade op een warme dag, maak dan die limonade. Kies **ÉÉN** ding waar je mee begint en doe dat zo goed als je kunt.

STAP 5 PLAN

Pak je aantekeningenboek erbij en denk na. Waar ga je verkopen? Op een fysieke plek? Online? Hoe ga je reclame maken? Heb je geld nodig voor materialen of gereedschap? Heb je genoeg spaargeld, of moet je wat lenen van de volwassenen? Heb je vergunningen nodig? Cursussen? Een team? Een oma die haar geheime recept voor supersmeuïge koekjes met je deelt?

STAP 6 TEST JE IDEE

Probeer je idee uit op je doelgroep. Vraag om feedback en maak je product of dienst nog beter. Misschien moet je daarna terug naar stap 5 en pas je je plan aan op basis van wat je hebt geleerd.

STAP 7 BEGIN

Tijd om te beginnen. Maar vergeet niet om, terwijl je je product of dienst aanpast en beter maakt, steeds terug te gaan naar stap 6: test, vraag om feedback en verbeter. Als je dat blijft doen, krijg je heel blije klanten.

BIJZONDERE BAANBREKERS

Als dit allemaal klinkt als veel werk en een lange adem: geen zorgen. Er zijn genoeg mensen van wie je kunt leren. Het gaat erom dat je klein begint. De wereld barst van de mensen die klein begonnen en vanuit het (bijna) niets een bedrijf opbouwden.

NAAM: STEVE JOBS
LAND: VERENIGDE STATEN
BEDRIJF: APPLE
LEEFTIJD TOEN HIJ BEGON: 21

WAAROM BEGON HIJ?

Om een betaalbare thuiscomputer te bouwen toen computers nog heel duur en ingewikkeld waren.

WAT IS HET VERHAAL?

In 1975 spraken Steve Jobs en Steve Wozniak samen af in Palo Alto, Californië, om een computer te bouwen. (Wozniak was daar heel goed in: hij bouwde zijn eerste computer al op zijn dertiende.) Ze verkochten er maar een paar, maar ze gebruikten het geld om hun ontwerp te verbeteren. Met hun Apple II-computer verdienden ze meer dan 3 miljoen dollar in het eerste jaar en twee jaar later al meer dan 200 miljoen dollar. Niet alles verliep bij Jobs van een leien dakje – hij werd ooit zelfs uit het bedrijf gegooid. Maar hij kwam terug, als chief executive officer (CEO, dus de baas), en werkte mee aan iconische Apple-producten als de iMac, de iPod, de iPad en de iPhone.

NAAM: INGVAR KAMPRAD

LAND: ZWEDEN

BEDRIJF: IKEA

LEEFTIJD TOEN HIJ BEGON: 17

WAAROM BEGON HIJ?

Omdat mensen graag betaalbare spullen willen voor in huis. En, zo ontdekte Ingvar later, ze willen nóg liever betaalbare spullen die je zelf in elkaar kunt zetten, zodat ze niet zo veel ruimte innemen in de auto en ook nog eens goedkoper zijn.

WAT IS HET VERHAAL?

Op zijn vijfde verkocht Ingvar lucifers aan zijn buren. Op zijn zevende ontdekte hij dat hij ze ook in bulk kon inkopen en meer winst kon maken. Op zijn zeventiende gaf zijn vader hem wat geld omdat hij goed zijn best deed op school. Ingvar gebruikte dat geld om een bedrijf te beginnen: IKEA. Eerst verkocht hij onder andere goedkope pennen en fotolijstjes, maar op een gegeven moment maakte hij de switch naar postordermeubels – een groot succes. Op een dag besloot een IKEA-medewerker de poten van een tafel te halen om het ding in de auto te krijgen. Dat bleek het begin van het doe-het-zelfconcept dat IKEA zo beroemd maakte.

NAAM: ANITA RODDICK

LAND: VERENIGD KONINKRIJK

BEDRIJF: THE BODY SHOP

LEEFTIJD TOEN ZE BEGON: 33

WAAROM BEGON ZIJ?

Om natuurlijke en dierproefvrije cosmetische producten te maken (dat was destijds heel ongebruikelijk).

WAT IS HET VERHAAL?

Anita leende geld om een cosmeticawinkel te beginnen. Heel klein, met maar twintig producten met handgeschreven etiketten, elk in vijf maten beschikbaar. Haar klanten waren gek op haar dierproefvrije assortiment en het bedrijf groeide. Ondertussen voerde Anita campagne en zorgde ze ervoor dat dierproeven in het Verenigd Koninkrijk verboden werden. En dat is niet alles. Anita reisde ook de wereld rond om pure ingrediënten voor haar producten te vinden. Ze ontmoette en steunde lokale boeren, deelde hun verhaal en zorgde dat ze een eerlijk loon kregen. Daardoor was ze als ondernemer niet alleen succesvol, maar was ze ook van grote waarde voor de wereld.

OKÉ, ALLEMAAL VOLWASSENEN. JE HEBT GELIJK. MAAR ER ZIJN OOK ONDERNEMERS DIE KLEIN ÉN VROEG BEGONNEN. KIJK MAAR.

NAAM: TILAK MEHTA

LAND: INDIA

BEDRIJF: PAPERS N PARCELS

LEEFTIJD TOEN HIJ BEGON: 13

WAAROM BEGON HIJ?

Omdat hij voor een examen boeken nodig had die hij bij zijn oom had laten liggen. Hij zocht naar bedrijven die zijn boeken nog dezelfde dag konden bezorgen, maar dat kostte veel geld. Dat moest goedkoper kunnen!

WAT IS HET VERHAAL?

Tilak begon een pakketbezorgdienst in Mumbai die op dezelfde dag bezorgde. Daarvoor werkte hij samen met *dabbawala's*: lokale lunchbezorgers die bekendstaan om hun georganiseerdheid en betrouwbaarheid. Dankzij die samenwerking kon Tilak supersnelle service regelen en gaf hij de dabbawala's een kans om extra geld te verdienen. Tilaks oom is nu de CEO en runt het bedrijf, terwijl Tilak zijn school afmaakt (in vakanties en weekenden werkt hij wel gewoon mee). Papers N Parcels is flink gegroeid: het heeft nu een eigen app, meer dan 150 medewerkers en 300 dabbawala-partners.

NAAM: MIKAILA ULMER
LAND: VERENIGDE STATEN
BEDRIJF: ME & THE BEES
LEEFTIJD TOEN ZE BEGON: 4

WAAROM BEGON ZIJ?

Omdat mensen gek zijn op limonade – en ze had een goed recept! Bovendien kon ze met haar limonade ook de bijen helpen.

WAT IS HET VERHAAL?

Toen Mikaila op haar vierde twee keer in één week door een bij werd gestoken, leerde ze veel over bijen. Eerst was ze er bang voor, maar toen ontdekte ze hoe belangrijk ze zijn. Ze gebruikte het lijnzaad- en honinglimonaderecept van haar overgrootmoeder om met behulp van haar ouders een bedrijf op te zetten dat een deel van de winst doneert aan bijenbeschermingsorganisaties. Ze begon de verkoop vanaf een tafeltje voor haar huis en leverde aan de lokale pizzeria, maar binnen een paar jaar werd haar limonade in honderden winkels in Amerika verkocht.

NAAM: MOZIAH BRIDGES
LAND: VERENIGDE STATEN
BEDRIJF: MO'S BOWS
LEEFTIJD TOEN HIJ BEGON: 9

WAAROM BEGON HIJ?

Moest je lachen om de chique strik? Mo begon een bedrijf in handgemaakte vlinderstrikken omdat hij er geen een kon vinden die bij zijn stijl en persoonlijkheid paste. De strikken in de winkel waren altijd zo sáái.

WAT IS HET VERHAAL?

Mo's winkel ontstond aan de keukentafel van zijn oma, in 2011 in Memphis. Hij ontwierp de strikken en zijn moeder en oma hielpen hem met naaien (Mo leerde zelf ook naaien van zijn oma). Na een tijdje kwamen de strikken ook in echte winkels. In 2017 sleepte hij zelfs een deal binnen om vlinderstrikken te maken voor de dertig basketbalteams in de Amerikaanse basketbalcompetitie!

NU IS HET JOUW BEURT

Dit zijn wat ondernemersideeën waarmee JIJ vandaag nog kunt beginnen

- Limonade verkopen (of sap)
- Oppassen op huisdieren en ze verzorgen
- Zelfgemaakt eten verkopen, zoals taart of koekjes (LEKKER!)
- Klusjes doen voor oude mensen
- Cadeautjes en cadeaumanden verkopen
- Muziekoptredens geven (alleen of met een band)
- Zelfgemaakte kaarten verkopen
- Kaarsen maken en verkopen
- Cadeautjes inpakken
- Upcyclen (oude spullen opfrissen en doorverkopen)
- Schoonmaken
- Jonge kinderen bijles geven (als je goed bent in een bepaald vak, kun je iemand anders helpen)
- Tuinieren (harken, bijvoorbeeld)
- Dingen repareren (zoals computers)
- T-shirts maken en ontwerpen (of andere kledingstukken)
- Sieraden maken
- Websites ontwerpen
- Stockfoto's maken (je foto's verkopen op websites als Shutterstock)
- Feestjes organiseren
- Vloggen op YouTube (maar dat moeten je ouders wel goedvinden)
- Deejayen op kinderfeestjes
- Honden uitlaten

Wat kun je no
meer bedenke

IN EEN NOTENDOP

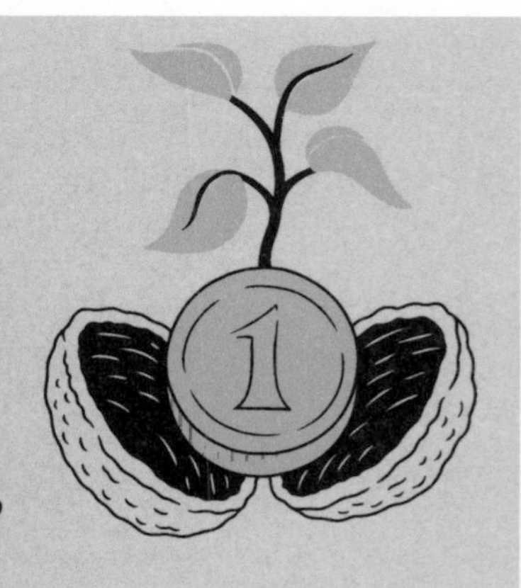

- **Denk na over je doelen.** Een vision board kan helpen. Zet het ergens waar je het altijd ziet.
- **Als je zakgeld kunt verdienen, vraag jezelf dan af:** wat hebben mensen nodig? Wat willen ze? Wat kun jij ze geven?
- **Er zijn zo veel banen.** Denk na over wat je interessant en leuk vindt.
- **De wereld verandert.** Snel. Dus word een **BAAS** in nieuwe dingen leren.
- **Goed worden in iets kan uren en uren duren.** Soms oefen je weken, maanden, of zelfs jaren. De beste soort oefening? Gerichte oefening.
- **Je kunt ook geld verdienen als ondernemer.** Dat gaat weer over wat mensen nodig hebben en wat ze willen. Probeer dingen uit, kijk wat ze ervan vinden, pas iets aan als dat nodig is en doe het opnieuw.
- **Ondernemen is niet makkelijk,** maar er zijn heel veel mensen die klein begonnen zijn en geweldige dingen deden. Ook jonge mensen zoals jij. Misschien geldt dat straks ook voor jou.

ALS JE EENMAAL GELD VERDIENT, IS HET HANDIG OM TE WETEN WAT JE ERMEE KUNT. DUS: PAK WAT LEKKERS EN SLA DE PAGINA OM.

HOODFSTUK 3
GELD
UITGEVEN

Dus, je hebt wat GELD.

YESSS!

En nu? Waar en hoe JAAG je het ERDOORHEEN?

Ten eerste: minder jagen en meer nadenken. Geld uitgeven gaat om **keuzes maken**. Als je maar een beperkte hoeveelheid hebt, moet je kiezen waaraan je het uitgeeft (en hoeveel je uitgeeft, en hoeveel je spaart, laat groeien of weggeeft). Dat kun je immers maar één keer doen.

En ja, dat kiezen, daar is een chique term voor: **alternatieve kosten.** Dat is de waarde van wat je níét kiest wanneer je een keuze maakt. Als je in een ijswinkel bijvoorbeeld maar één bolletje ijs kunt betalen, dan kies je chocolade óf aardbei. Ga je voor chocola, dan heb je geen aardbei. De alternatieve kosten van het bolletje chocolade zijn dus het bolletje aardbei dat je opoffert. Of andersom.

Geld uitgeven gaat ook om **prioriteiten stellen**. Sommige dingen zijn nu eenmaal belangrijker dan andere, dus voordat je je geld uitgeeft: denk na over wat jíj het belangrijkst vindt.

VRAAG JEZELF EERST AF: HEB IK HET NÓDIG OF WÍL IK HET?

DINGEN DIE JE NÓDIG HEBT ZIJN BIJVOORBEELD ETEN, WATER, EENVOUDIGE KLEREN EN EEN VEILIGE VERBLIJFPLAATS.

DINGEN DIE JE WÍLT ZIJN EXTRAATJES. LUXE. LEUKE SPULLEN. DE TELEFOON DIE JE ZO MOOI VINDT. HET JASJE DAT JE ZO GOED STAAT. DE FILM DIE JE WILT ZIEN OMDAT IEDEREEN HET EROVER HEEFT.

Dingen die je nodig hebt, komen eerst.
Op dit moment zorgt iemand anders daar waarschijnlijk nog voor, maar in de toekomst wordt dat jóúw taak, dus zorg ervoor dat je die dingen herkent. Je wilt je geld niet uitgeven aan die mooie jas, vette schoenen of de kapper als dat betekent dat je een week lang geen eten kunt kopen.

WORD IK GEFOPT DOOR SLIMME RECLAMEMAKERS?

Weet je nog dat we het in het vorige hoofdstuk over **vaardigheden** hadden? Reclamemensen weten jou heel goed te laten denken dat dat wat je wílt iets is wat je nódig hebt. Ze achtervolgen je op allerlei manieren – via tv, internet, reclameborden, de achterkant van cornflakesverpakkingen, door producten voorbij te laten komen in films – en ze zijn gewapend met een heel arsenaal aan trucs.

TRUC NUMMER 1: Associatie. Onze hersenen koppelen ideeën, beelden en zelfs gevoelens aan elkaar. Stel, in de reclame voor de Chocojunkie-reep zit een scène waarin romige chocolade naar beneden stroomt en mensen zoals jij samen een reep delen en plezier hebben. Dat beeld blijft hangen. Als je daarna aan Chocojunkie denkt, denk je: **ROMIGE, DROMERIGE, FLUWEELZACHTE CHOCOLADE**. En je voelt je relaxed, blij, alsof je met je vrienden bent. Slimme reclame zorgt voor dit soort **associaties**.

CHOCO
JUNKIE
REEP

TRUC NUMMER 2: Beroemdheden en influencers. Het is een bekende truc om beroemdheden of influencers te gebruiken in reclames of films, of ze iets over een product te laten posten op social media. Als je idool ergens weg van is, dan moet het wel goed zijn – dat is het idee. Maar die beroemdheden worden betááld om reclame te maken. Ze gebruiken de producten niet eens altijd. Wij zijn slim, toch? Wij trappen daar niet in, toch? Behalve dan dat we er wél in trappen. Keer op keer.

TRUC NUMMER 3: Angst. Niets brengt ons zó in beweging als ANGST. Reclamemakers weten dat. Via angst veranderen ze 'willen' als bij toverslag in 'nodig hebben'.

ALS JE DEZE TANDPASTA NIET GEBRUIKT, WORDEN JE TANDEN ZWART EN VALLEN ZE UIT JE MOND.

Een andere vorm van angst is FOMO: *fear of missing out* (angst om iets te missen). We hebben die nieuwste, supercoole dinges echt nodig, want het lijkt wel alsof iedereen er een heeft. We kunnen het ons niet permitteren om er géén te hebben.

TRUC NUMMER 4: Herhaling. Een reclame zie je en zie je en zie je tot hij blijft hangen. En als we mogen kiezen, gaan we vaak voor dingen die we kennen, want **BEKEND** = **VERTROUWD**, veilig. Ook niet onbelangrijk: als we iets maar vaak genoeg zien of horen, geloven we eerder dat het waar is. Na een tijdje ga je dus echt geloven dat je een product nodig hebt om gelukkig te worden, of populair, gestructureerd, gezond, enzovoort.

Maar er zijn meer dingen die je beïnvloeden. Je rolmodellen, bijvoorbeeld – je idolen, je mode-iconen, je vrienden. Ja, echt: ook je vrienden. Niet dat ze beslissen wat we leuk vinden en kopen (dat hoop ik tenminste niet!), maar we vinden het wel belangrijk wat ze denken. We willen immers leuk worden gevonden. Dus kopen we dingen waardoor we ons beter voelen, cooler, succesvoller, jaloersmakender en leuker.

Het probleem is: **WILLEN STOPT NOOIT.** Pas als ik die... **FIETS - TV - VERFSPULLEN - VAKANTIE - JAS - MOBIELE TELEFOON - LAPTOP - BIOSCOOPKAARTJES - SCHOENEN - GAME - CONCERTKAARTJES - SCOOTER - TAS - SNEAKERS - BROEK - SIERADEN - MUZIEK - KOPTELEFOON...** heb, ben ik gelukkig.

Er lonkt altijd iets mooiers, nieuwers en glimmenders in de verte. Daardoor kan het gebeuren dat we een heleboel geld uitgeven, en dat kan gevaarlijk zijn als we niet opletten.

De beste remedie om tegenwicht te bieden aan reclame en groepsdruk, is **TEVREDEN** zijn met wie je bent en wat je hebt. Dat betekent niet dat je nergens van mag dromen, want dromen zijn belangrijk. Maar je geluk koppelen aan een **DING**, dat werkt niet. Als je je basisbehoeften op orde hebt, haal je je geluk niet uit een ding. Het is niet alsof je geluk op internet kunt bestellen. Geluk komt van binnenuit. Dus als je vrienden échte vrienden zijn, dan kan het ze niks schelen dat je niet de nieuwste sneakers hebt, of de vetste videogames.

JE GEHEIME WAPEN

Dankbaarheid is je geheime wapen in de oorlog tegen steeds meer willen. Hoe meer aandacht je besteedt aan de spullen die je hebt, en aan hoe blij je ermee bent, hoe minder tijd er overblijft om na te denken over wat je allemaal níét hebt. Want dat is waarom we dingen willen kopen: omdat het voelt alsof we iets missen. Als we alléén die sneakers kopen, zijn we slimmer, cooler en gelukkiger en komt alles goed. Dat denken we tenminste. Maar nú dankbaar zijn is een reminder aan jezelf dat je geen sneakers nodig hebt. Alles ís al goed.

Schrijf elke dag voor je naar bed gaat drie dingen op waar je dankbaar voor bent. Groot of klein, dat maakt niet uit – als het maar drie dingen zijn.

BUDGETTEREN

Zodra je weet wat je nodig hebt en wat je wilt, kun je een **budget** maken. Een budget is een **geldplan** dat uit twee onderdelen bestaat:

GELD IN (inkomen)

GELD UIT (uitgaven)

Teken een tabel zoals die hieronder. Geen zorgen – het is hartstikke simpel:

GELD IN	VERWACHT	ECHT
Zakgeld		
Extra inkomen		
Cadeaugeld		
Totaal		

GELD UIT	VERWACHT	ECHT
Spaargeld		
IJsjes		
Film		
Sneakers		
Donatie aan de lokale bibliotheek		
Totaal		

Bij **GELD IN** schrijf je onder **VERWACHT** alles wat je deze maand denkt te krijgen. Je zakgeld of klusjesgeld (als je dat krijgt), cadeaugeld, geld dat je met een bijbaantje hebt verdiend, en later ook geld dat je met een eventuele baan verdient.

Bij **GELD UIT** doe je hetzelfde voor alles waaraan je geld denkt uit te gaan geven. Zoals je ziet staat de rij met **spaargeld** bovenaan. Dat is geen **uitgave**, maar we zetten het hier omdat het een goed idee is om het volgende als uitgangspunt te nemen:

Betaal jezelf eerst. Spaar niet met geld dat je overhebt, maar zet het apart voordat je iets uitgeeft. We gebruiken de term 'spaargeld' hier dus heel breed: het is geld dat je niet uitgeeft. Misschien zet je het op je spaarrekening, of investeer je het. (Daarover later meer.)

Als je de **VERWACHT**-kolom hebt ingevuld, kun je het totale **GELD IN** vergelijken met het **GELD UIT**. Je **GELD UIT** zou niet hoger moeten zijn dan je **GELD IN**. Is dat wel zo? Dan zit je boven budget.

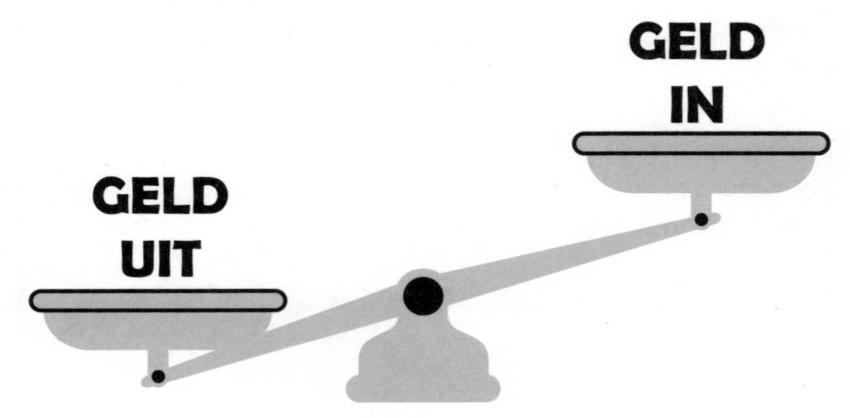

BOVEN BUDGET ALERT!

Dat betekent dat je geld probeert uit te geven dat je niet hebt. **OH-OOH**. Je moet dus een manier vinden om meer te verdienen, minder uit te geven, of allebei. **TOPTIP**: als het allebei lukt, doe het dan ook allebei.

Onthoud: we hebben het nu alleen nog maar over je verwachting. Naarmate de maand vordert, schrijf je ook de échte cijfers op. Bewaar je bonnetjes dus! Misschien waren je verwachtingen boven budget, maar weet je ónder budget te blijven dankzij je **GENIALE** plan om minder uit te geven of extra te verdienen (of allebei!).

GELD IN IS MEER DAN GELD UIT. GOED BEZIG!

Nu kun je dat extra geld (het verschil) sparen. Of weggeven. Of het volgende maand gebruiken. Wat je ook doet, de vooruitzichten zijn goed.
HIGH FIVE.

MAAR EERST IETS OVER MAGISCH GELD

Als we onverwacht geld krijgen dat we niet verdiend hebben, zoals een cadeau of een biljet dat we tussen de bank vinden, doen we vaak alsof dat **MAGISCH** geld is. We besteden het niet aan saaie dingen (dingen die we nodig hebben) en doen er geen verstandige dingen mee (zoals sparen of investeren), maar geven het meestal uit aan dingen die we waarschijnlijk niet nodig hebben. Goed om te onthouden:

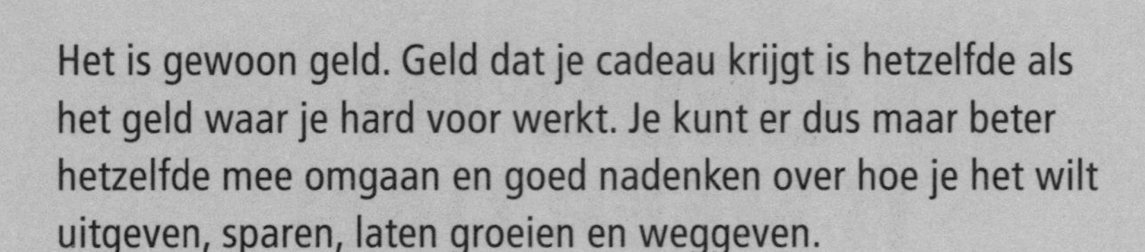

Het is gewoon geld. Geld dat je cadeau krijgt is hetzelfde als het geld waar je hard voor werkt. Je kunt er dus maar beter hetzelfde mee omgaan en goed nadenken over hoe je het wilt uitgeven, sparen, laten groeien en weggeven.

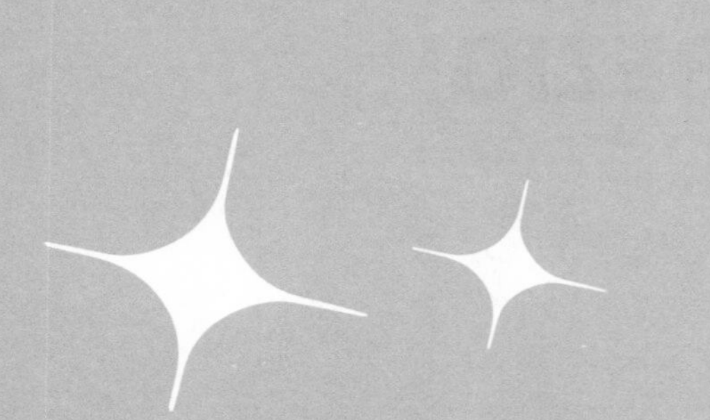

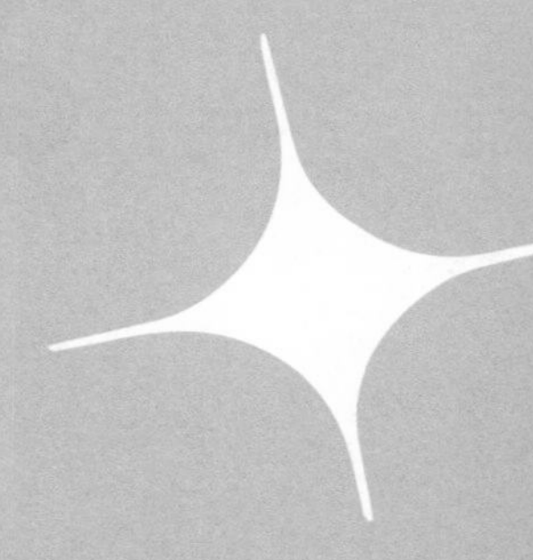

ALS JE JE GELD UITGEEFT, DOE HET DAN GOED

Als je je geld uit gaat geven, moet je dat slim doen. Koop je er kortetermijndingen van, zoals een ijsje of bioscoopkaartjes? Hartstikke leuk – **TOTDAT** je ijsje op is of de aftiteling begint. Je kunt het ook besteden aan langetermijndingen, die je kunt bewaren en hergebruiken en waar je blijvend van kunt genieten, zoals een boek of een spel. Pas in elk geval op met impulsaankopen, vermijd fast fashion en wees waakzaam voor aanbiedingen die eigenlijk helemaal niet zo veel te bieden hebben.

IMPULSAANKOPEN

Impulsaankopen zijn dingen die we kopen zonder erover na te denken. Spontane beslissingen die ons een klein **SPRANKELTJE** geluk lijken te geven. **PAS HIERVOOR OP**. Het is gevaarlijk. Want als je dat te vaak doet, ben je in no time door je geld heen. Vraag jezelf dus af: heb ik het echt nodig? Zo nee, **LEG HET TERUG**.

Bescherm jezelf tegen impulsaankopen door te plannen. (Boodschappenlijstjes en budgetten zijn er niet voor niets.)

Er zijn kinderpinpassen, gekoppeld aan een volwassenenbankrekening, die je al vanaf je zesde kunt gebruiken. Vaak zit daar dan een app bij waarmee je je uitgaven, spaargeld en zelfs je donaties kunt bijhouden. Het bedrag dat je kunt uitgeven staat vast, dus je hoeft je niet druk te maken om je budget.

Maar pas op. Bankpassen zijn handig, maar je geeft er al gauw te veel mee uit. Pinnen gaat zo snel en moeiteloos dat het niet voelt alsof je geld uitgeeft. Soms is contant geld daarom beter: dat moet je uit je portemonnee pakken en tellen, waardoor je meer tijd hebt om na te denken over wat je eigenlijk aan het doen bent – en je ziet het geld ook echt verdwijnen. **JAKKES!** Met een bankpas heb je dat allemaal niet.

FAST FASHION

Goedkope kleding klinkt misschien aantrekkelijk, maar pas op: vaak hangt die prijs samen met slechte kwaliteit. Veel winkels hebben doorlopend prachtige aanbiedingen met allerlei nieuwe items. Doordat alles goedkoop is, denk je dat je meer waar voor je geld krijgt. Maar kwalitatief slechte kleding gaat niet lang mee, dus je moet binnen no time weer terug naar de winkel om vervangers te kopen. Daardoor geef je op de lange termijn misschien wel méér uit.

Fast fashion is ook slecht voor het milieu, omdat je vaker kleding weggooit. En alle kleren die niet gedoneerd of gerecycled worden, belanden bij het grofvuil (meer dan de helft van de kleding wordt binnen een jaar weggegooid). Koolstofuitstoot is ook een groot probleem in de mode-industrie: de Verenigde Naties zeggen dat de modebranche meer energie verbruikt dan de lucht- en scheepvaartindustrie samen. **ONGELOOFLIJK!** Fast-fashionkleren worden bovendien vaak gemaakt van synthetische materialen, waardoor er elke wasbeurt tot wel 700.000 microvezels in het milieu belanden. Die vervuilen de zee en beschadigen het zeeleven.
DENK AAN DE VISSEN!

PAS OP VOOR DE AANBIEDING DIE NIETS TE BIEDEN HEEFT

Aanbiedingen zijn OVERAL. Om te begrijpen waarom ze zo goed werken, moet je eerst iets weten over het menselijk brein. Dat doet zijn taak prima, maar het is al heel lang geleden ontstaan – en in de tussentijd zijn er nogal wat dingen veranderd. Het zit zo: onze hersenen zijn gemaakt om energie te besparen. Vroeger hadden we onze energie hard nodig om te vechten met roofdieren en te jagen voor eten. We konden dus niet te veel energie besteden aan denken en beslissingen nemen, want dat kost enorm veel energie. En tijd. Minstens zo kostbaar.

Omdat beslissingen nemen zo veel energie kost, snijdt ons brein een stukje af. Zelfs nu nog, terwijl we ons allang geen zorgen meer hoeven te maken om sabeltandtijgers of gigantische beren die ons opslokken als lunch. Als je aan het winkelen bent, kun je daardoor flink in de problemen komen. Reclamemakers weten dat – en maken er gebruik van.

Als je dingen met elkaar vergelijkt, gebruikt ons brein een van die dingen als **anker**, om tijd en energie te besparen. Op een prijskaartje met een doorgestreepte, oude prijs en een nieuwe, lagere prijs, wordt de oude prijs het anker. Daardoor denk je niet meer aan de prijs die je betaalt en aan de **alternatieve kosten** (waarbij je het vergelijkt met wat je níét koopt), maar vooral aan de geweldige koop die je gaat doen. Maar luister, **DIT IS EEN VAL.**

Niemand lijkt te geloven dat winkels de oude prijs soms eerst verhogen en daar vervolgens korting op geven, zodat het lijkt alsof je minder betaalt. Tegelijkertijd houden winkels tegenwoordig continu uitverkoop. Snap je wat ik bedoel? Het is een spelletje. En het werkt.

LEKKER LOKAAS

In de bioscoop heb je misschien ook weleens zo'n val gezien – toen je popcorn wilde kopen. Drie maten die er min of meer zo uitzien:

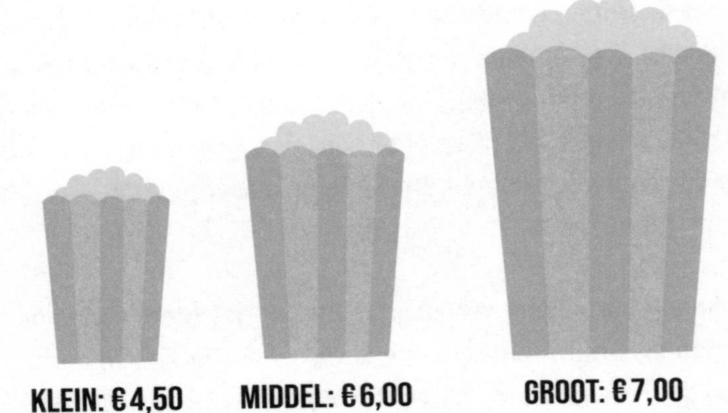

De middel-prijs is het lokaas, de afleiding. Je hebt de grote popcorn waarschijnlijk niet nódig, maar je denkt: ach, die is maar 1 euro duurder… Het zou stom zijn om de middelste te nemen. Je bent verstandig, dus je neemt een verstandige beslissing. En dat is precies de beslissing waar de bioscoop op hoopte. Ik gebruik trouwens euro's, maar dit trucje werkt in elke valuta. Dollars, ponden, yen, of wat je ook maar gebruikt.

EEN ZOGENAAMD KOOPJE

We zijn gemaakt voor koopjes. We worden getriggerd door bordjes als:

en

Als we het woord **'GRATIS'** alleen maar zién, voelen we dat kleine **SPRANKELTJE** al (net als bij een impulsaankoop). Zo sterk is het. We zijn gek op koopjes. Maar is het echt een koopje? Als je het niet nodig hebt en niet van plan was het te kopen, dan is het antwoord **NEE**.

Hetzelfde geldt voor kortingsbonnen en kortingscodes. Doe de heb-ik-het-nodig?-test. Op beperkt houdbare producten (dingen die niet goed blijven) zoals eten zitten vaak kortingsacties, maar raad eens? Die koopjes belanden meestal in de prullenbak. Heb je weleens gehoord van afvalbergen? Bergen van weggegooid eten? Precies: niet leuk. Of eigenlijk: behoorlijk stom.

Wat ik wil zeggen is: **STOP. DENK NA**. Vraag jezelf af: heb ik dit echt nodig? Is het een goede koop?

PSST... IETS WILLEN MAG BEST.

Als je al je basisbehoeften op orde hebt en je hebt nagedacht over de toekomst, kun je natuurlijk best een keer iets uitgeven. Ik zeg niet dat dat niet mag. Ik ben geen **MONSTER**.

GA OP ONDERZOEK UIT

Vergelijk de prijzen van verschillende winkels. Vergelijk gelijksoortige producten. Huismerken zijn vaak goedkoper dan A-merken en meestal smaken ze net zo lekker – of lekkerder! Misschien kun je thuis een smaaktest houden. Haal een merkproduct dat je altijd koopt en een huismerkvariant, laat iedereen thuis proeven en raad welke welke is.

PRIJS en WAARDE zijn twee verschillende dingen. De prijs is wat je voor iets betaalt; de waarde is wat het jóú waard is. Als je na een smaaktest vindt dat de huismerkchocoladereep lekkerder is dan de Chocojunkie-reep, is de huismerkreep meer waard – ook al is-ie goedkoper.

Zoek reviews op als het kan. Er zijn heel veel reviewwebsites waar je kunt lezen wat andere klanten van een product vinden. Maar let op: neem ze niet allemaal even serieus. Er kunnen ook nepreviews tussen zitten – goede én slechte!

KANTTEKENING: DOE HET VEILIG

Als je al wat ouder bent en weleens iets koopt op internet, doe dat dan via een veilige internetverbinding en pas op met websites die er onbetrouwbaar uitzien. Spelfouten en veiligheidswaarschuwingen zijn duidelijke hints. En dat geldt ook voor aanbiedingen die te mooi zijn om waar te zijn. Als je op zo'n link klikt, zou je zomaar een virus of hacker op je telefoon of computer kunnen krijgen. **SLIK**. Dat wil niemand. Check daarom altijd of er een slotje in de adresbalk staat, naast het webadres. Verschijnt er een waarschuwing wanneer je op het slotje klikt? Verlaat de website dan snel!

Vraagt een website of je je creditcardgegevens wilt bewaren, kies dan **NEE**. Wees voorzichtig met persoonlijke informatie, wachtwoorden en pincodes. Als die in de verkeerde handen vallen, kunnen mensen doen alsof ze jou zijn, **je identiteit stelen** en een heleboel geld lenen en uitgeven onder jouw naam. Daarom wordt het afgeraden om bijvoorbeeld je geboortedatum online te zetten.

IN EEN NOTENDOP

✱ **WEET WAT JE NODIG HEBT EN WAT JE WILT.**
Pas op voor slimme reclames die 'nodig hebben' in 'willen' veranderen.

✱ **BUDGETTEER!** Met ál je geld – ook het onverwachte. Magisch geld bestaat niet. Alles telt mee. En onthoud altijd: betaal jezelf eerst.

✱ **VERMIJD IMPULSAANKOPEN.** Je weet toch wel beter dan dat je daarin trapt? En pas op voor aanbiedingen die je niets te bieden hebben.

✱ **PRIJS EN WAARDE ZIJN NIET HETZELFDE.** De prijs staat op het prijskaartje en de waarde is wat het jóú waard is. Ga dus op zoek naar waarde.

✱ **DOE JE HUISWERK.** Vergelijk prijzen en producten. Kennis is macht.

✱ **WAT JE ONLINE OOK DOET, DOE HET VEILIG.** Deel geen persoonlijke informatie en deel nooit pincodes en wachtwoorden.

50 EURO
10 EURO
£20
THE UNITED STATES OF
ONE DOLLAR
ZO. NU WEET JE HOE JE
JE GELD KUNT UITGEVEN.
TIJD OM TE KIJKEN HOE JE
HET SPAART...

HOOFDSTUK 4
GELD SPAREN

Je bent klaar om te gaan sparen. Fantastisch. Je toekomstige jij is je huidige jij nu al DANKBAAR. En omdat je extra goed hebt opgelet toen het in het vorige hoofdstuk ging over de Grote B (budgetteren), overweeg je om te sparen vóórdat je geld gaat uitgeven. Maar waar laat je dat spaargeld? Eens kijken…

QUIZVRAAG: WAAR LAAT JE JE SPAARGELD?

- A IN DE KOEKTROMMEL
- B IN MIJN SOKKENLA/ONDER HET MATRAS/IN DE VRIEZER/DAAR ERGENS
- C IN EEN SPAARPOT
- D OP DE BANK

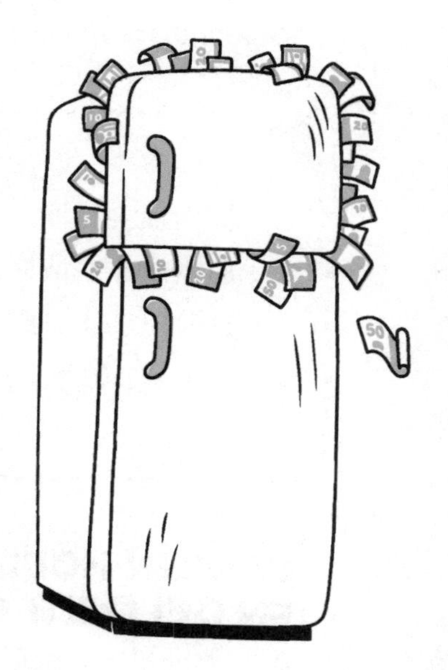

JE BENT ONTSLAGEN als je A, B of C koos. Want het JUISTE antwoord is D: op de bank. Ál het geld dat je verdient zou zelfs naar de bank moeten gaan. Zodra je het nodig hebt, kun je het contant opnemen of uitgeven met een bankpas. Afhankelijk van je leeftijd en het soort pas dat je hebt, zou het kunnen dat je daar een volwassene voor nodig hebt.

BANKREKENINGEN BEWAKEN JE GELD

Tegen jóú, zodat je jezelf niet tegen hoeft te houden als je de koektrommel opent. Maar ook tegen inbrekers, die in een wip weer buiten staan nadat ze hebben ingebroken; zij kennen **ALLE** bekende verstopplekken. **OKÉ**, misschien ben je creatief en verberg je je geld op een onverwachte plek. Maar als die plek zó goed is, zou het zomaar kunnen dat je ook zélf vergeet waar je het geld gelegd hebt. Of er gebeurt iets anders. In 2009 had een vrouw in Israël 1 miljoen dollar contant geld gespaard (yep, **1 MILJOEN** dollar) en in haar matras verstopt. Haar dochter, die dat niet wist, gooide het matras weg tijdens de grote schoonmaak. Stel je voor!

In sommige landen beschermt de overheid een deel van het geld dat je op de bank hebt staan, voor als er iets met de bank gebeurt. In Nederland is dat 100.000 euro. Je spaarpot of sokkenla kan zo'n garantie niet geven.

BANKEN HOUDEN JE GELD IN EN GELD UIT OOK BIJ

Daardoor blijf je helemaal op de hoogte van je inkomsten en uitgaven en zie je hoeveel je al hebt gespaard. Spaarpotten zijn leuk, maar dit kunnen ze niet!

DE EEUWENOUDE TEMPELS VAN MESOPOTAMIË

waren eigenlijk de oudste banken van de wereld. Ze waren superveilig (niemand **DURFDE** van de goden te stelen) en ze bewaarden er dingen als granen en waardevolle metalen. Ze verstrekten zelfs leningen, waaronder rentevrije leningen aan mensen die de rente niet konden betalen, en ze administreerden alles op kleitabletten. Dat spijkerschrift is het oudste schrift ter wereld en dateert uit 3300 voor Christus. Toen mensen begonnen met schrijven, deden ze dat dus niet in de vorm van gedichten of gebeden, maar in de vorm van hun financiële administratie!

BANKEN DELEN GRATIS GELD UIT

Nog iets wat spaarpotten niet doen, maar banken wel, is **rente** betalen. Rente is eigenlijk gewoon **GRATIS GELD**. Als je een tientje in een spaarpot doet is het vijftig jaar later nog steeds een tientje. Of nou ja: een heel oud tientje dat waarschijnlijk niet meer zo veel waard is door iets wat **inflatie** heet. Als je dat tientje op de bank had gezet, had je er rente mee verdiend. Je geld **GROEIT** dus terwijl het op de bank staat.

Inflatie is een geleidelijke prijsstijging met de jaren. In 1990 kocht je in Nederland een pakje roomboter voor € 1,11. In 2018 kostte diezelfde boter je € 2,04. Met een tientje dat je vijftig jaar hebt weggestopt, koop je nu dus veel minder dan toen.

MAAR... WAAROM GEVEN BANKEN GRATIS GELD WEG?

Banken geven je rente omdat ze je geld gebruiken. Het gaat dus niet allemaal in een ondergrondse kluis (sorry, inbrekers); de bank heeft maar een klein percentage van de stortingen contant op voorraad. De rest wordt uitgeleend aan mensen die het nodig hebben (mensen die meer uitgeven dan ze hebben). Echt waar: ook jouw geld is waarschijnlijk uitgeleend aan een vreemde. Maar geen zorgen: dat is hartstikke veilig. De bank vraagt die vreemde namelijk rente over die lening, en die rente kan aardig hoog zijn.

Stel, je hebt 100 snoepjes en je zet ze allemaal op de **SNOEPJESBANK**. De bank belooft ze veilig te bewaren. (Sowieso zijn ze daar veiliger dan bij jou thuis, want nu kun je ze niet opeten én niemand kan ze stelen.) Terwijl jij je ding doet, komt er een snoepjesmonster bij de bank dat **ECHT** wat snoepjes nodig heeft. De bank leent haar 50 snoepjes (aangezien jij ze nu toch niet nodig hebt), maar het snoepjesmonster moet beloven dat ze al die 50 snoepjes terugbetaalt (elke maand een beetje). En ze moet ook nog 4 snoepjes extra betalen als een vergoeding voor het lenen. Zo verdienen banken geld (of, eh... snoepjes!).

De snoepjesbank betaalt jou een extra snoepje omdat ze je snoepjes mogen uitlenen aan het snoepjesmonster. Dat snoepje is jouw rente. Daardoor groeit je snoepjesvoorraad (je spaargeld) op de bank zonder dat je er iets voor hoeft te doen.

JOUW SNOEP-VOORRAAD
SNOEPJESBANK
BANKMANAGER
SNOEPJES-MONSTER
IK WIL SNOEPJES!
BELOOFD!
JE VOORRAAD GROEIT!

SUPERHELDEN, SLECHTERIKEN EN GELD LENEN

Je geld kan ook op andere manieren groeien of krimpen, met wat hulp van de helden en slechteriken uit de bankenwereld.

SAMENGESTELDE RENTE: SERIEUZE SUPERHELD

Samengestelde rente (ook wel rente op rente) is ruimhartig, gul en vooral ongelooflijk SNEL. Er zit wat ingewikkelde wiskunde achter, maar het goede nieuws is dat je daar niets van hoeft te begrijpen. PFIEUW. Je moet alleen snappen hoe het werkt: geld sparen met samengestelde rente leidt tot een **sneeuwbaleffect**. Stel je voor dat je een sneeuwbal van een berg rolt. Je begint met een klein balletje (het geld dat je op de bank zet). Dankzij de samengestelde rente pakt het tijdens het rollen steeds meer sneeuw mee (de rente).

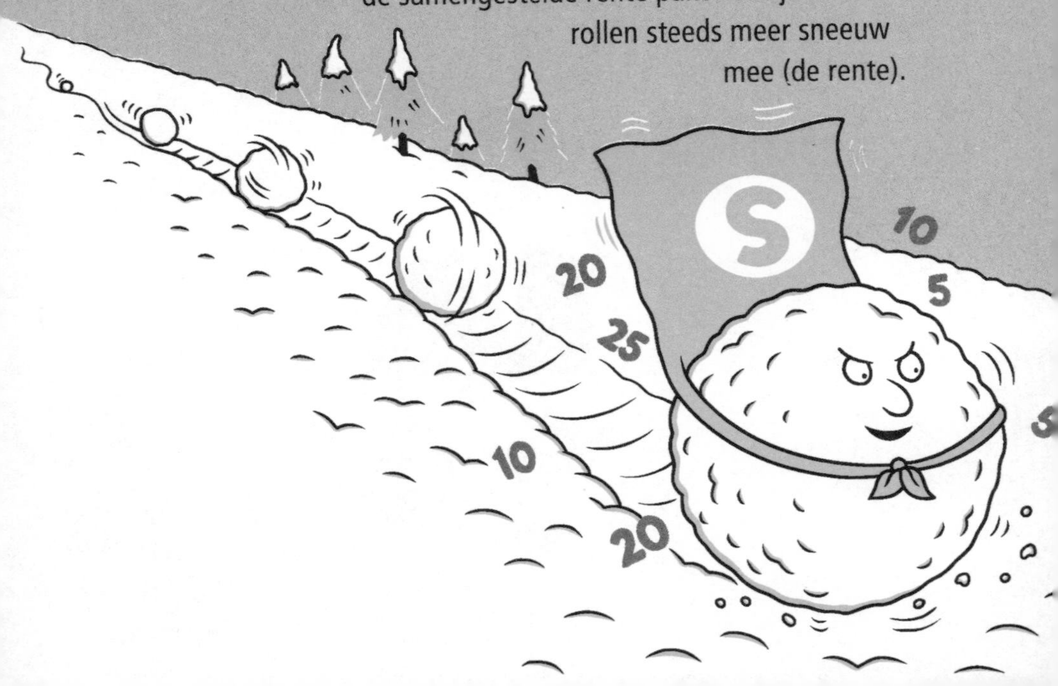

De bal wordt groter, rolt verder, wordt nog groter en pakt nog meer sneeuw mee. Hij wordt groter, en groter… tot het een joekel van een sneeuwbal is. Maar let op: dat sneeuwbaleffect werkt alleen als je je rente spaart en niet uitgeeft. Als je je geld én de rente nog meer rente laat verdienen, heb je kans op serieus geld.

WAARSCHUWING: DIT IS GEEN MANIER OM SNEL RIJK TE WORDEN. Voor samengestelde rente heb je vooral **TIJD** nodig. Een goed rentepercentage helpt, maar tijd is essentieel. Daarmee geef je samengestelde rente een extra boost. Je moet dus eigenlijk zo snel mogelijk beginnen met sparen. Als je dit leest, heb je al een enorme voorsprong, want je kunt vandaag nog beginnen.

VRAAG! Heb je liever **1 MILJOEN EURO** om vandaag te besteden, of een magische pot geld waar eerst maar één cent in zit, maar die 30 dagen lang elke dag verdubbelt? (Op de eerste dag is het dus 1 cent, op de tweede dag 2 cent, op de derde dag 4 cent, enzovoorts.)

De meeste mensen zouden de coole miljoen kiezen.
De meeste mensen zouden fout kiezen.

Na 30 dagen zou die magische cent **5,3 MILJOEN EURO** zijn. En als je de pot nog een dag langer had, zou het zelfs **10,7 MILJOEN EURO** zijn. Helaas bestaan magische potten niet, maar als je elke dag een klein bedrag spaart, kun je uiteindelijk een hoop sparen. Dus als je iets van € 5,95 koopt en je 5 cent overhebt, zet die dan op je spaarrekening. Na een tijdje kan dat flink oplopen!

HET NADEEL VAN SAMENGESTELDE RENTE

Alle superhelden hebben gebreken. **IRON MAN** is geniaal, maar hij is ook arrogant en houdt mensen soms op afstand. **WONDER WOMAN** is een sterke strijder, maar ze begrijpt niet veel van gewone mensen en de moderne wereld. **DE HULK** is supersterk, maar kan zijn kracht niet goed in bedwang houden. Samengestelde rente heeft ook een gebrek. Een duistere kant. Het kan vóór je, maar ook tégen je werken. **SLIK**.

Weet je nog dat banken rente vragen voor leningen? Als je later een lening neemt, en je hebt niet genoeg geld om je maandelijkse afbetalingen te voldoen, dan moet je rente betalen over het geld dat je niet terugbetaalt. Samengestelde rente. Voor je het weet, heb je een enórme schuld. **DUS WEES VOORZICHTIG** als je later een creditcard neemt (een bankpas waarmee je geleend geld kunt uitgeven). De rentepercentages voor creditcards zijn superhoog, en je wilt niet dat die kosten gaan sneeuwballen. Hetzelfde geldt voor flitskredieten, waarmee je het kunt uitzingen tot je volgende salaris. Die gaan vaak gepaard met hoge boetes voor te laat betalen. Soms gaat de rente zelfs omhoog als je niet op tijd betaalt.

Als je dat eng vindt klinken, dan vind je woekeraars waarschijnlijk al helemaal niks. Woekeraars zijn namelijk de meest gehaaide slechteriken die er zijn. Banken lenen alleen geld uit aan mensen die kredietwaardig zijn: mensen die de lening kunnen terugbetalen. Als je niet kredietwaardig bent (bijvoorbeeld omdat je je rekeningen of rente een tijdje niet kon betalen), kan het gebeuren dat de bank je geen geld wil lenen. Sommige mensen kloppen dan aan bij een woekeraar, die vaak een enórme rente rekent en op allerlei nare manieren achter je aan komt als je niet op tijd betaalt. Blijf dus **VER** van zulke types vandaan.

ZELF GELD LENEN

Al die slechteriken nodigen niet erg uit, maar soms moeten mensen toch geld lenen. Bijvoorbeeld om een gat in hun budget te overbruggen, of om een grote, belangrijke aankoop te doen, zoals een auto of een huis. Mensen voelen zich daar meestal niet fijn bij, maar het is heel normaal. Als je trouw blijft sparen en je uitgaven beperkt, kun je een lening misschien vermijden (top!), maar als je toch moet lenen, dan is dat ook prima. Je kunt budgetteren om je afbetalingen onder controle te houden en uiteindelijk van die schuld af te komen.

Pas wel op dat je niet te veel leent, alleen maar omdat het zo makkelijk is. Lenen is dúúr, en als je niet op tijd betaalt, heeft dat invloed op je kredietwaardigheid. Dat maakt het nóg duurder – en ook moeilijker – om later opnieuw geld te lenen. Vraag dus om hulp als je geldproblemen hebt. Er zijn mensen die gespecialiseerd zijn in uitvogelen hoe je een lening afbetaalt. Je hoeft je nergens voor te schamen als je om hulp vraagt. Dat geldt trouwens voor alles in het leven.

HYPOTHEKEN

Een hypotheek is een speciaal soort lening die mensen afsluiten om vastgoed te kopen, zoals een huis of een appartement. Omdat vastgoed duur is, is deze vorm van lenen vrij normaal; het zou zomaar kunnen dat jij op een dag ook een hypotheek hebt. Als het zover is: zorg dat je je betalingen op orde hebt en richt je op het afbetalen. Dat geldt voor alle leningen, maar met een hypotheek is het extra belangrijk: als je je rekeningen niet betaalt, kan de bank je huis in beslag nemen om het geld terug te krijgen. **SLIK**.

KEUZES, KEUZES: WAT VOOR REKENING NEEM JE?

Je hebt een geldvoorraadje, maar waar laat je het? Een **BETAALREKENING** is bedoeld voor dagelijks gebruik. Daarmee kun je geld opnemen wanneer je maar wilt, maar je krijgt een heel laag rentepercentage. Er zijn ook **SPAARREKENINGEN** met hogere rentes, maar daar moet je meestal regelmatig een bedrag op storten en soms kun je een tijdje niet bij je geld.

HÉ! WEG-
WEZEN!

Het handigst is om al je zak- en cadeaugeld op een betaalrekening te zetten en je spaargeld op een spaarrekening.

Misschien heb je een volwassene nodig om een rekening te openen. Dat is in elk land anders. In Nederland kun je bij de meeste banken al vanaf je geboorte een spaarrekening krijgen en tussen je zesde en je twaalfde een betaalrekening (al moet je daar bij sommige banken vijftien voor zijn).

VRAGEN DIE JE KUNT STELLEN

Doen jullie aan internetbankieren en is er een app die ik met hulp van een volwassene kan gebruiken?

Hoeveel geld moet er minimaal op staan?

Is de rekening gratis?

Bij welke pinautomaten kan ik geld opnemen?

Wat is jullie rentepercentage?

Kost het geld om geld op te nemen?

HOE SNEL HEB JE HET GELD NODIG?

Welk spaarrekening het best bij je past, hangt af van je spaardoelen. Als je spaart voor iets wat je in de nabije toekomst wilt kopen, zoals een trui of een nieuwe fiets, heb je dat geld niet nú nodig, maar wel binnenkort. Zet het in dat geval op een spaarrekening waar je je geld elk moment van af kunt halen.

Later spaar je waarschijnlijk voor iets **GROOTS**, zoals een huis, een appartement of een vlucht naar de maan – waar je ook maar van droomt. **DAT** geld kan op een spaarrekening voor de lange termijn, waar je niet elk moment bij kunt, met een hogere rente.

HET OH-OOH-POTJE

Dit is voor als er iets misgaat. Mensen hebben het vaak over een appeltje voor de dorst, maar je kunt beter sparen voor een hele boomgaard. Hopelijk heb je dit geld nooit nodig. Je hebt het **VOOR HET GEVAL DAT.** Als je een klapband krijgt doordat je supercoole trucs op je nieuwe fiets doet, zou het kunnen dat een volwassene daar niet voor betaalt. Dan komt je **OH-OOH**-potje van pas. **OH-OOH**-geld apart zetten is dus een slimme gewoonte. In de toekomst kan het gebeuren dat je een grote reparatie moet betalen of dat je andere onverwachte kosten hebt: je kunt je baan kwijtraken en een tijdje moeten leven van je spaargeld. Dan is je **OH-OOH**-potje een redder in nood.

PENSIOENEN

Dit is echt pas voor **VEEL** later, als je gaat werken, maar een pensioen kan ook een redder in nood zijn. Het is een speciaal spaarplan waarmee je geld spaart voor je oude dag (als je stopt met werken en met de noorderzon vertrekt). De leeftijd waarop je met pensioen mag en dat geld kunt gaan gebruiken verschilt per land.

HOE JE GELD KUNT SPAREN OM GELD TE SPAREN

Geld sparen is goed, maar méér geld sparen is nog beter. Kijk daarom of je je uitgaven kunt beperken en meer op je spaarrekening kunt zetten.

Vraag de volwassenen met wie je woont eens of je mag meekijken bij de **huishoudpot**. Dat is voor jou een kijkje in de toekomst. Want als we de tijd even doorspoelen, zijn er allerlei extra SUPERLEUKE uitgaven waar je rekening mee moet houden in je budget:

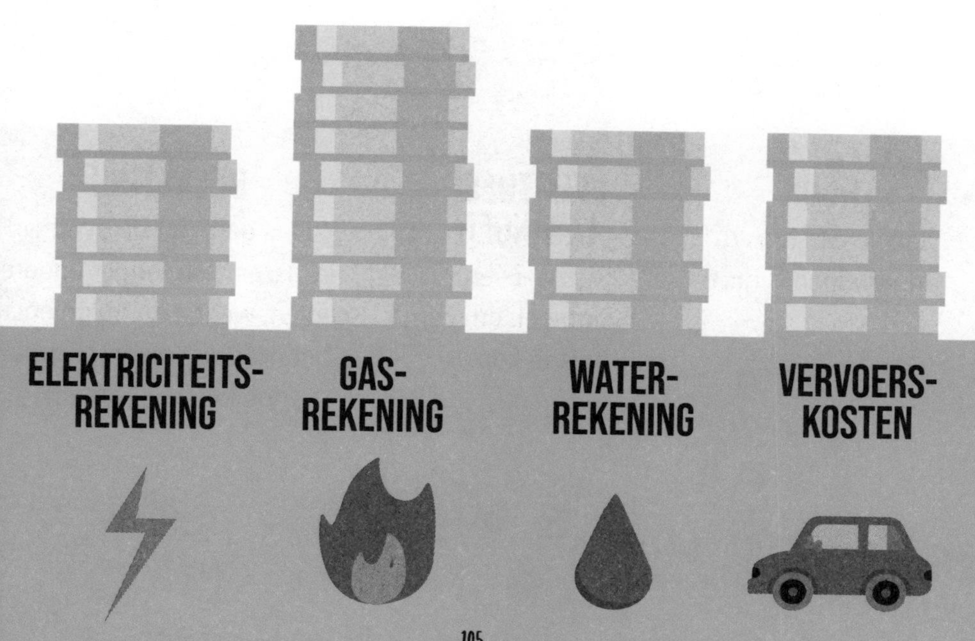

Yep. Zo veel om naar uit te kijken. Maar dit is wel waarom het slim is om nu, voordat je er middenin zit, alvast een spaarkampioen te worden. Op die manier heb je er straks genoeg geld voor opzijgezet en hou je ook nog wat over voor leuke dingen.

HUUR
(als je een huis of appartement huurt)

EVENTUELE LENINGEN
(zoals een hypotheek om een huis te kopen)

BELASTING
(dit is geld dat de overheid incasseert om onder andere scholen, wegen en hulpdiensten te betalen; hoe meer je verdient hoe meer je betaalt)

ZO WORD JE EEN ULTIEME SPAARKAMPIOEN

BIJHOUDEN van je uitgaven. Wat je ziet, kun je beperken.

Zorg dat je **NIET MEER** water verbruikt dan je nodig hebt.

PLAN je maaltijden en voorkom impulsaankopen met een boodschappenlijstje.

DOE ONDERZOEK naar grote uitgaven, dagjes uit en vakanties, zodat je zeker weet dat je niet te veel uitgeeft.

VERGELIJK gas- en elektriciteitsleveranciers en ga op zoek naar de beste deals.

STAP OVER op energiebesparende lampen en zet het licht uit als je de kamer verlaat. Zo gaat je elektriciteitsrekening omlaag.

VERLAAG je vervoerskosten door vaker te gaan lopen.

Doe **SMAAKTESTEN** om te kijken of je producten van A-merken kunt vervangen door goedkopere huismerkproducten.

Bedenk **IDEEËEN** voor **GRATIS** dagjes uit of avondjes thuis. Wandelingen, parken, musea, bibliotheken, bordspelletjes, knutselen, filmavondjes en thuiskaraoke (daar heb je alleen YouTube en een haarborstel voor nodig!).

Leer **KOKEN**. Serieus. Dat scheelt je een klein fortuin aan etentjes, afhaal- en kant-en-klaarmaaltijden. En het is ook nog eens gezonder. Zorg dat je zeven recepten hebt die je snel en goedkoop op tafel kunt zetten, er profi uitzien en natuurlijk lekker smaken. Graag gedaan!

SPAREN: HET PLAN VAN AANPAK

Je weet dat sparen slim is. Maar hoevéél moet je nou eigenlijk sparen? Het korte antwoord is: **EH... ZO VEEL ALS JE KUNT.**

Sommige mensen vinden dat 20 procent van je **GELD IN** een goede start is. Maar het is helemaal aan jou.

SPAARDOELEN

Als je voor iets specifieks spaart, zoals die game, die gitaar of die sneakers, dan zijn er twee manieren waarop je dat kunt doen:

1. Als je het geld op een bepaalde datum nodig hebt: kijk naar de prijs en deel het bedrag door het aantal weken dat je nog hebt om te sparen. De uitkomst is het bedrag dat je elke week opzij moet zetten. ('Ik wil over 10 weken een paar sneakers van 40 euro kopen, dus dat is 40/10 = 4 euro per week.')

2. Als je ongeveer weet hoeveel je wekelijks kunt sparen, kun je de prijs delen door dat wekelijkse bedrag. Dan weet je hoelang het nog duurt voordat je je doel hebt bereikt. ('Sneakers van 40 euro… Hm, ik denk dat ik 5 euro per week kan sparen, dus dat is 40/5 = 8 weken.')

ALLES GAAT OM KEUZES

Al het geld dat je uitgeeft, kun je niet sparen, laten groeien of weggeven.

Stel, je wilt die sneakers van 40 euro. Dat is een langetermijnuitgave – ze gaan mee tot ze versleten zijn of je eruit bent gegroeid.

VOOR 40 EURO KOOP JE VIER BIOSAVONDJES À 10 EURO (KAARTJES + POPCORN + DRINKEN)

OF

JE SLAAT DE BIOSCOOP OVER EN GEBRUIKT DIE 40 EURO VOOR JE SNEAKERS

Als je overweegt om die eerste 10 euro uit te geven aan de bioscoop, vraag jezelf dan af: wat wil ik écht? Als het mijn doel is om die sneakers te kopen, is deze ene film het dan waard, of stop ik die 10 euro weg om voor de sneakers te sparen? Alle beetjes helpen.

DE SPAARMETER

Maak een spaarmeter om je spaardoelen bij te houden. Hij mag er precies zo uitzien als jij wilt en je kunt hem inkleuren terwijl je verder spaart. Plak hem ergens op waar je hem vaak ziet en doe er een foto bij van je spaardoel. Dingen láten voor je spaardoel is lastig, maar elke keer als je de meter ziet, weet je weer waarvoor je het doet.

€40
€35
€30
€25
€20
€15
€10
€8
€4
€2

IN EEN NOTENDOP

✱ **SLA DE SOKKENLA MAAR OVER.** Spaargeld hoort op de bank. Sterker nog, ál je geld hoort op de bank. Dat is veiliger, geeft je meer overzicht en je krijgt er rente over. **GRATIS GELD!**

✱ **SAMENGESTELDE RENTE IS EEN SERIEUZE SUPERHELD.** Je spaargeld kan er na verloop van tijd flink door sneeuwballen.

✱ **MAAR ALLE SUPERHELDEN HEBBEN GEBREKEN.** Ook samengestelde rente. Dat zit namelijk ook op leningen. Als die gaan sneeuwballen, kun je flink in de problemen komen.

✱ **ALS DINGEN LATER UIT DE HAND LOPEN,** zijn er mensen die je kunnen helpen. Vraag om hulp.

✱ **ER ZIJN VERSCHILLENDE SOORTEN SPAARREKENINGEN.** Kijk naar de voordelen en naar de voorwaarden. Welke spaarrekening je opent, hangt af van hoe snel je je geld nodig hebt.

✱ **ZET ALTIJD GELD OPZIJ VOOR NOODGEVALLEN.** Dat is je **OH-OOH**-potje.

✱ **LEER GELD TE SPAREN** om méér geld te sparen. Maak een **PLAN** en hou je eraan.

TOT NU TOE HEBBEN WE HET GEHAD OVER GELD SPAREN OP EEN SPAARREKENING. ALS JE DAT DOET EN HET FLINK DE TIJD GEEFT (DAT MAGISCHE INGREDIËNT), MAAKT ONZE SUPERHELD – SAMENGESTELDE RENTE – ER MEER EN MEER VAN. MAAR JE KUNT OOK IETS ANDERS DOEN MET DAT GELD. JE KUNT HET NOG VEEL SERIEUZER LATEN GROEIEN.

HOOFDSTUK 5
GELD LATEN
GROEIEN

Dus. GELD. Je weet wat het is. Hoe je het verdient, hoe je het uitgeeft en hoe je er een beetje van opzij kunt zetten voor de toekomst. Sparen is belangrijk. Maar er is nog iets wat je met je geld kunt doen om het echt te laten GROEIEN. Je kunt het investeren. Voordat we daarin duiken, moeten we alleen eerst iets ophelderen.

Mensen halen vermogen en inkomen vaak door elkaar. Inkomen is geld dat binnenkomt. Maar dat is niet wat je rijk maakt. Niet echt. Het gaat om wat je doet met dat inkomen. Je **vermogen** is de waarde van al je spaargeld en bezittingen (zoals aandelen, vastgoed en waardevolle kunst) min al het geld dat je hebt geleend (want dat is niet echt van jou; je moet het terugbetalen).

Nu wordt het leuk. Als je slim omgaat met je inkomen (door te budgetteren, sparen en investeren – wat jij **ONGETWIJFELD** gaat doen), kun je op den duur véél vermogen creëren. En de dingen waarin je investeert, kunnen ook nog wat opleveren.

DOE JE OGEN NU EENS DICHT EN STEL JE VOOR...

Stel je tijdens het lezen van dit hoofdstuk voor dat je 1000 euro hebt, of dollars, of welke valuta je ook maar gebruikt. Ik gebruik euro's omdat we in Nederland zijn. Hoe dan ook: je hebt **1000 EURO GEWONNEN** omdat je zo geweldig bent. **GEFELICITEERD**! De voorwaarde is dat je het moet investeren, dus dat je er iets mee doet waardoor het groeit. Ik dacht: dat wil je vast weten voordat je aan het winkelen slaat. Omdat je op allerlei manieren kunt investeren, wil ik dat je – terwijl je dit hoofdstuk leest – nadenkt over welke manier bij jou past. Je hoeft niet al je geld in één keer te gebruiken. Sterker nog, je zult zien dat je dat vooral níét moet doen.

Je kunt overwegen om te investeren in **bedrijfsaandelen**. Ik weet het: alleen het wóórd 'aandelen' klinkt al saai. Maar geloof me: dat zijn ze niet. Lees het volgende verhaaltje maar als je wilt begrijpen hoe het zit (en wat aandelen nou precies zijn).

EEN HEEL CHOCOLADERIG VERHAAL

Weet je nog dat we zeiden dat het allemaal om keuzes gaat? Hier heb je er één. Heb je wat contant geld en zin in chocolade? Dan kun je een reep kopen... **OF** investeren in een stukje van een **CHOCOLADEFABRIEK**.

Als je de reep koopt, eet je die waarschijnlijk vrij snel op. Misschien bewaar je hem voor een speciaal moment, of geef je hem weg (lief!). Maar als-ie op is, is-ie op. Net als je geld. Eindstand: geen geld, geen chocolade.

Als je investeert in een stukje van de fabriek (dat noemen we een **aandeel**), is je geld ook op, maar ben je wel de trotse eigenaar van een deel van een echte chocoladefabriek. **HOERA**.

Loopt de fabriek goed? Dan wordt er steeds meer geld verdiend. En als dat zo goed gaat dat de omzet hoger is dan wat het kost om de fabriek draaiende te houden, dan maakt de fabriek **winst**.

Een deel van die winst gaat meestal naar de mensen die een stukje van de fabriek bezitten (**de aandeelhouders**). Ook naar jou dus. Woehoe! Die winstdeling heet **dividend**. Je krijgt het per aandeel, dus hoe meer aandelen je hebt, hoe meer geld je krijgt. Met dát geld kun je nu chocolade gaan kopen. Of meer aandelen! Of je kunt het aan iets anders uitgeven, of sparen, of weggeven.

Vergeet onze favoriete financiële superheld niet: samengestelde rente. Je spaargeld sneeuwbalt sneller naarmate het meer wordt. Dus als je het geld dat je verdient op je spaarrekening zet, krijg je meer spaargeld – en dus meer rente!

FEEEEEEEEESTJE!

Dat niet alleen: als de fabriek goed loopt, willen meer mensen een aandeel. Maar aangezien er maar een beperkt aantal aandelen is, stijgt de waarde ervan. Jóúw aandeel wordt dus ook meer waard. Als je het nu verkoopt, levert het meer op dan de prijs waarvoor jij het kocht.

KA-CHING!

MAAR LET GOED OP.

Het is helaas niet altijd zo eenvoudig.

Want wat stijgt, kan ook dalen. Wat gebeurt er als het níét goed gaat met de fabriek? Dan is de situatie ineens heel anders...

Het kan om allerlei redenen niet goed gaan met de fabriek. Misschien vinden mensen chocola ineens niet meer lekker en kopen ze het niet meer. Dat **KAN, OKÉ?** Misschien zijn ze bang voor gaatjes. **SLIK**. Misschien is de fabriek een geheim recept kwijt. Misschien heeft iemand het **GESTOLEN!**

Misschien zijn de kosten omhooggegaan en is het nu heel duur om de fabriek draaiende te houden. **GELD IN – GELD UIT = WINST**, weet je nog? Het tegenovergestelde van **winst** is **verlies**. En verlies is slecht nieuws voor aandeelhouders zoals jij. Dan kun je fluiten naar dat extra geld.

De waarde van je aandeel? Die gaat sowieso naar beneden, want mensen willen van hun aandelen af. Meestal is het zo dat als iedereen iets wil, het veel waard is – maar als niemand het wil, is het minder waard. Drie keer raden wat dat betekent?

JE HEBT EEN PROBLEEM. 

Tijd voor een keuze: hou je je aandeel of verkoop je het?

Het antwoord hangt af van wat jij denkt dat er gaat gebeuren met de chocoladefabriek.

Lijkt de situatie nog verder te verslechteren? Verkoop je aandeel dan en **MAAK DAT JE WEGKOMT.**

Maar wacht. Misschien is het maar een klein hindernisje. Als je denkt dat het straks weer beter gaat is het verstandiger om je aandeel te houden. Je zou zelfs nog meer aandelen kunnen kopen nu ze goedkoop zijn.

Wat je doet hangt ook nog af van drie andere dingen:

- Hoe hard je je geld nodig hebt. (Als je het echt nodig hebt, is verkopen misschien wel slim.)
- Hoelang je nog zonder kunt. (Als dat heel lang is, kun je afwachten. Is het een degelijk chocoladebedrijf? Dan komt het op den duur wel goed.)
- Hoeveel risico je kunt nemen…

WIEBELENDE DRILPUDDING

Investeren is alsof je op een wiebelige drilpudding staat. En sommige puddingen drillen meer dan andere. **ALLE** investeringen zijn riskant, maar sommige zijn extra riskant. Daarom investeer je **ALLEEN** met geld dat je niet nodig hebt. **NIET** met geld dat je nodig hebt voor je uitgaven. En **OOK NIET** met geld uit je **OH-OOH**-potje. Anders kan de drilpudding zomaar uit elkaar **SPATTEN**.

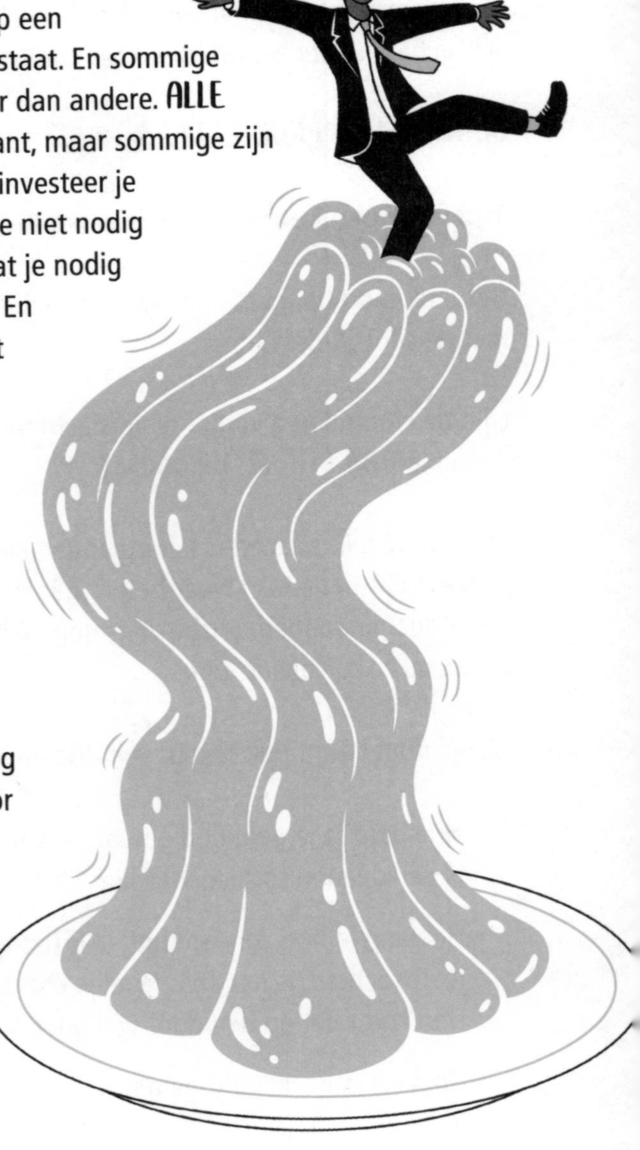

Natuurlijk vraagt niemand of je voor niks op die drilpudding gaat staan. In ruil voor al dat **risico**, krijg je kans op een **beloning**. **ALS** jouw chocolade-fabriek het goed doet, en

ALS je de aandelen vasthoudt, zou je dividend kunnen krijgen (ALS het bedrijf dat betaalt) en een beetje winst (ALS je je aandelen verkoopt voor een hogere prijs dan waar jij ze voor kocht). Inderdaad: dat zijn heel veel ALSen.

TOPTIP: SPREID JE KANSEN

Als je kunt, investeer dan in verschillende dingen. Op die manier heb je wat achter de hand als het met sommige aandelen slecht gaat. Je kunt een deel van die 1000 euro bijvoorbeeld investeren in een chocoladefabriek, en een deel in een tandpastafabriek of een tandartsenketen. Op die manier je risico spreiden heet **hedgen**.

Kun je goed tegen het gewiebel? Dan kun je met je 1000 euro aandelen in allerlei soorten bedrijven kopen – voeding, mode, muziek, sportclubs, energie, technologie, gezondheidszorg, dingesen... Wat je maar wilt. Maar hoe? Een fiets koop je bij de fietsenwinkel. Aandelen koop je op iets wat de beurs heet.

DE BEURS, BUBBELS EN DE MEESTERINVESTEERDER

De aandelenbeurs is een speciale plek voor de koop en verkoop van aandelen. Wereldwijd zijn er zestig grote beurzen. De belangrijkste in Amerika zijn de New York Stock Exchange (NYSE), de Nasdaq en de NYSE American. In Nederland hebben we de Euronext Amsterdam. De London Stock Exchange (LSE) in Engeland is een van de oudste ter wereld. Voordat die beurs werd opgericht verhandelden mensen hun aandelen in koffietentjes!

Elke aandeelhouder wil een aandeel kopen, het een tijdje houden en het dan verkopen voor een hogere prijs dan hij of zij zelf heeft betaald. Maar de prijzen stijgen en dalen continu, dus het is een riskante bedoening. Als een heel land of een hele regio het zwaar heeft, kunnen de prijzen heel plotseling zakken doordat mensen bang worden en hun aandelen in van alles en nog wat verkopen. Het kan lang duren voordat zo'n daling weer bijgetrokken is.

Soms wordt een aandeel **ZO** populair dat een heleboel mensen het willen kopen. Binnen no time wil de rest van de wereld het dan ook **(FOMO!)**. Omdat er maar een beperkt aantal aandelen is, gaat de prijs dan keihard omhoog.

Dat gebeurde ook in de zeventiende eeuw in Amsterdam, met tulpen. Op een gegeven moment was een zeldzame tulpenbol er net zo veel waard als een huis. Maar het was een **bubbel** – de waarde was niet écht – dus na een tijdje **KNAPTE** hij en kelderden de tulpenprijzen. In 2000 gebeurde dat ook met de **internetbubbel**. Aan het einde van de jaren negentig haastten mensen zich om internetaandelen te kopen. Die waren namelijk heel cool en spannend en bijna iedereen kocht ze en omdat bijna iedereen ze kocht, wilde de rest ze ook.
Je raadt het al: de bubbel knapte en de beurs **CRASHTE**. Daarom moet je opletten als je investeert. En van wie kun je dat nou beter leren dan van de slimste investeerder ooit?

WARREN BUFFETT, DE MEESTERINVESTEERDER

Twijfel je nog waar je je geld in wilt investeren? Dan stel ik je graag voor aan miljardair Warren Buffett. Als kind bracht hij de krant rond en verkocht hij kauwgom en tijdschriften aan de deur. Zijn eerste aandeel kocht hij al op zijn elfde, maar 99 procent van zijn vermogen verdiende hij pas na zijn vijftigste. Dat vermogen is nogal flink. **HEEL** flink. In 2019 was hij 87 miljard dollar waard.

Hoe kreeg hij dat voor elkaar? Hij investeerde in bedrijven waarin hij geloofde. Sterke organisaties met een degelijk plan – en dus geen schreeuwerige start-ups die vooral uit mooie praatjes bestaan. Vervolgens vertrouwde hij op onze fantastische financiële superheld, samengestelde rente, en liet hij zijn spaargeld en investeringen sneeuwballen.

WEET WAT JE DOET

In het oude Griekenland hadden ze orakels: priesters en priesteressen, zoals het Orakel van Delphi, die alle antwoorden zouden hebben. De bijnaam van Warren Buffett is het Orakel van Omaha, omdat hij in Omaha woont (in de Amerikaanse staat Nebraska) en omdat mensen graag horen wat hij te zeggen heeft over investeren. Hij weet wat hij doet en hij raadt je aan om ervoor te zorgen dat jij dat ook weet.

Buffett gelooft in **waarde-investeringen**. Daarmee bedoelt hij dat je niet alleen naar de **prijs** van een aandeel moet kijken, maar dat je ook de **waarde** van een bedrijf moet begrijpen, en de dingen die ze doen. Hoe kun je anders weten hoe het met een bedrijf gaat? Hoe kun je anders weten of het in de problemen komt? Waarde-investeerders zijn net detectives: ze snuffelen rond en zoeken **ondergewaardeerde** aandelen. De prijs is laag omdat niemand anders ze wil, maar als het goede handel is, ziet een waarde-investeerder dat de zaken weer zullen aantrekken!

Wil je een waardedetective zijn? Hou die 1000 euro dan nog even in je zak en verricht wat speurwerk. Hier moet je kijken:

- **BEDRIJFSWEBSITES:** kijk hoe goed een bedrijf loopt en wat de toekomstplannen zijn.
- **BEURSWEBSITES:** googel het aandeel en check de grafiek met prijsveranderingen. Lees ook expertartikelen over het aandeel op websites als iex.nl en rtlz.nl.
- **HET NIEUWS:** kijk of er dingen gebeuren die invloed kunnen hebben op het bedrijf.

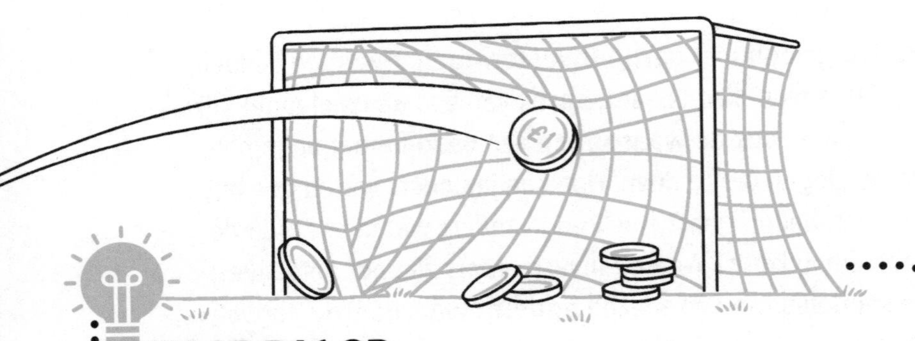

MAAR PAS OP

Resultaten uit het verleden bieden **GEEN** garantie voor de toekomst. Dat weet je als je fan bent van een voetbalclub. Zelfs als ze net een grote wedstrijd hebben gewonnen, kan de volgende wedstrijd een dikke nederlaag zijn. En dat is prima. Als het een goed team is, dan weet je dat ze er op den duur wel weer bovenop komen.

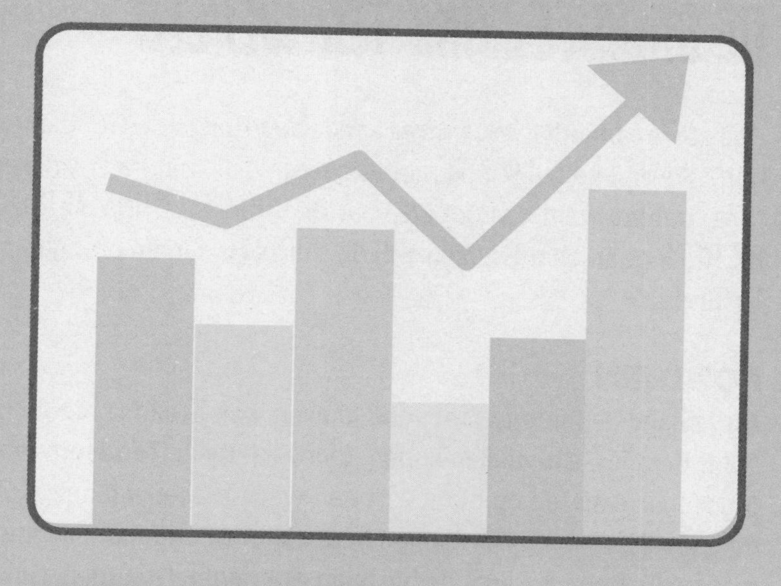

FANTASIE-AANDELEN

In echte aandelen investeren is nu misschien nog een ver-van-je-bedshow, maar je kunt wél proefdraaien. Kies een bedrijf dat je leuk vindt – alles mag, alles kan – en doe er zo veel onderzoek naar als je kunt. Kijk bijvoorbeeld hoe de aandelen het de afgelopen tijd hebben gedaan als het een beursgenoteerd bedrijf is en investeer vervolgens je fantasiegeld in het bedrijf. Kijk hoe het de komende maanden gaat, een jaar, of langer nog, en probeer het ook met andere bedrijven. Volg het nieuws en leer denken als een investeerder. Vraag of je vrienden meedoen en vergelijk jullie resultaten!

DE SAAISTE BANK TER WERELD

Hoe sta je inmiddels tegenover aandelen? Heb je die 1000 euro nog? We zijn namelijk nog niet uitgespeeld. Er zijn meer smaken! Maar dat betekent wel dat we naar de **SAAISTE BANK TER WERELD** gaan en misschien wel de **SAAISTE** namen ooit gaan bespreken.

FONDSEN

Als je aandelen interessant vond klinken, kun je van je magische 1000 euro losse aandelen kopen, of investeren in **fondsen**. Die fondsen investeren op hun beurt dan weer in allerlei dingen voor jou. Hun namen verdienen bepaald geen originaliteitsprijs, maar ze weten vaak wel de beste investeringen te vinden. Ook hier: geen garanties! Als het zo simpel was, zou iedereen het doen.

Onze vriend Warren Buffett is groot fan van **indexfondsen**. Een index meet de waarde en prestaties van een heleboel bedrijven tegelijkertijd. Als bedrijven ijssmaken zouden zijn, dan is een index een mega-schepijsje met ál de lekkerste smaken. De S&P 500 is bijvoorbeeld een index van 500 grote bedrijven in Amerika. Indexfondsen volgen zulke indexen, dus als je in één index investeert, investeer je in alle bedrijven die eronder vallen. Zo spreid je je kansen en het is goedkoper dan wanneer je in elk van die bedrijven apart zou investeren.

TERMIJNDEPOSITO'S

Dacht je dat er niets saaier kon klinken dan aandelen en beurzen? Dan stel ik je graag voor aan termijndeposito's! Een termijndeposito is een spaarrekening waar je een groot bedrag op zet om rente over te verdienen. **ALLEEN**: gedurende een bepaalde periode (vaak tussen de zes maanden en vijf jaar) kun je niet bij je geld, tenzij je een **HOGE** boete betaalt. Je zet je **OH-OOH**-potje dus niet op een termijndeposito, maar spaargeld dat je een tijdje niet nodig hebt is prima. De rentepercentages zijn hoger dan op normale spaarrekeningen en het is veiliger dan aandelen en obligaties, want je krijgt vrijwel altijd je geld terug.

Wacht even. **OBLIGATIES?** Wil je weten wat dat zijn? Oké…

OBLIGATIES

SAAIE naam, simpel concept. Als je investeert in obligaties, leen je geld uit aan een overheid of aan een bedrijf, zoals onze chocoladefabriek. Die overheden of bedrijven betalen je dat geld (en dat van een heleboel andere investeerders) terug met rente. Ja, dat hoor je goed: jij bent nu de grote baas, want met een deel van je 1000 euro help je de chocoladefabriek. Ook bij obligaties is het alsof je je geld op een spaarrekening zet waar je tot een bepaalde datum niet bij kunt. Hier krijg je alleen meer rente, en je moet goed nadenken over het risico: hoe wiebelig is de drilpudding waar je op gaat staan?

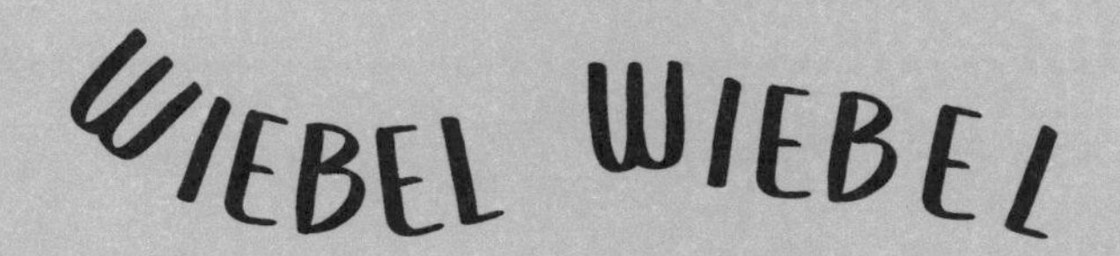

Gelukkig is er een hulplijn. Obligaties worden beoordeeld door kredietbeoordelaars. Zij vertellen je of het bedrijf of de overheid in kwestie betrouwbaar is of niet. Hoe slechter de beoordeling, hoe riskanter (en wiebeliger) de investering – maar ook: hoe hoger de rente die je krijgt.

WAARSCHUWING: PAS OP VOOR GEKKE, MOEILIJKE DINGEN!

Kredietbeoordelaars kunnen fouten maken. Dat gebeurde ook in 2008, tijdens de financiële crisis. Toen gaven beoordelaars sommige obligaties een goede beoordeling, terwijl het eigenlijk onbetrouwbare investeringen waren. Ze waren zó ingewikkeld dat zelfs de kredietbeoordelaars niet snapten hoe ze in elkaar staken. Het lééк in orde, dus ze plakten er een gouden ster op – maar eigenlijk had het een grote **WAARSCHUWINGSSTICKER** moeten zijn.

ALS EEN INVESTERING ONBEGRIJPELIJK IS EN NIEMAND JE KAN UITLEGGEN HOE HET ZIT, KUN JE HEM MISSCHIEN MAAR BETER OVERSLAAN.

PEER-TO-PEERLENEN

Dit heeft niets te maken met peren, maar met mensen die elkaar geld lenen via internet ('peer' is het Engelse woord voor 'gelijke'). Daardoor blijft de bank erbuiten en wordt lenen makkelijker en goedkoper voor individuen en kleine bedrijven (anders dan banken hebben mensen immers geen hoge bedrijfskosten). Je bent dus weer de grote baas en net als de bank verdien je er geld aan door rente te vragen. Het is alleen wel riskant; mensen worden gescreend op een leenplatform, maar er is altijd een kans dat je een snoepjesmonster tegenkomt dat zijn snoepjes niet kan terugbetalen. Dan ben je alles kwijt wat je hebt uitgeleend.

CROWDFUNDEN

Weer zo'n saaie naam van de Saaiste Bank ter Wereld, maar **crowdfunding** is interessanter dan het klinkt. Ook hier zijn het individuen en kleine bedrijven die zonder de bank geld inzamelen. Via sommige platforms kun je aandelen in kleine bedrijven kopen; bij andere koop je tegenprestaties, zoals een goedkopere, eerste versie van een product. Van tegenprestaties groeit je geld niet, dus dit is meer een feelgood-laten-we-elkaar-steunen-investering. (Maar die zijn ook belangrijk, dus als je hier een deel van je 1000 euro in wilt investeren: **PRIMA!**)

ER ZIJN OOK LEUKE DINGEN

ZOALS ANTIEK.

OF KUNST.

OF VASTGOED.

OF WAARDEMIDDELEN ALS GOUD.

Lijkt het je wat om je 1000 euro in een van die dingen te investeren? Op den duur kunnen ze veel waard worden. Kunst, bijvoorbeeld. Van Gogh schijnt maar één schilderij te hebben verkocht toen hij nog leefde – niet eens voor een hoge prijs. Terwijl zijn schilderijen nu miljoenen waard zijn!

Je hebt alleen wel geluk nodig. Tuurlijk, er zijn mensen die ware schatten vinden tussen de familie-erfstukken, maar de kans dat dat gebeurt is klein. Hoewel het zóú kunnen dat je de nieuwe Banksy of Van Gogh ontdekt… **spreid je kansen**. Voor de **ZEKERHEID**. Ook voor deze spullen geldt: je kunt ze zelf kopen of investeren in fondsen die dat voor je doen. Dat laatste is vaak makkelijker en levert meer op.

CRYPTOGELD

Herinner je je dit nog, uit hoofdstuk 1? Naast de bitcoin zijn er meer dan tweeduizend andere cryptomunten in omloop.

In 2010 kocht Laszlo Hanyecz in Florida twee pizza's met 10.000 bitcoins. Destijds was dat bij elkaar zo'n 40 dollar waard. Vijf jaar later waren 10.000 bitcoins goed voor meer dan 2,4 miljoen dollar. En in 2019 maar liefst **80 MILJOEN** dollar. Da's nog eens dure pizza. Had Laszlo zijn cryptogeld nou maar niet uitgegeven!

WAARSCHUWING

Aangezien we het zo uitgebreid over Warren Buffett hebben gehad, moet ik misschien even zeggen dat hij niet weg is van cryptomunten als de bitcoin. Anders dan bij bedrijfsaandelen (waarbij je het bedrijf kunt bestuderen, kunt zien hoe het draait en dus kunt uitvogelen wat de waarde is) vindt Warren dat bitcoins zélf geen waarde hebben. De prijs gaat omhoog als mensen ze blijven kopen, maar je weet niet of de munt écht zo veel waard is. En als mensen ze massaal gaan verkopen, gaat die prijs direct omlaag. Maar goed, dat is Warren. Anderen zijn het niet met hem eens en vinden juist dat de bitcoin heel spannend is – iets van de toekomst. Het is aan jou om te beslissen wat jij ervan vindt. Niemand weet het zeker. Ik weet het: daar heb je **WEINIG** aan.

DUS... WAT HEB JE BESLOTEN?

Zaten er investeringsvormen tussen die je interessant vond? Interessanter dan de rest? Stop je het meeste van die 1000 euro in één soort investering en spreid je de rest van je kansen – een beetje hier, een beetje daar? Of verdeel je het geld juist in gelijke delen? Wat je ook hebt besloten: dat is je **investeringsstrategie**.

Tot nu toe hebben we geïnvesteerd met fictief geld. Maar op een dag heb je meer écht geld en kun je zelf beslissen hoeveel je wilt investeren en waarin. Dan bedenk je dus serieuze, echte investeringsstrategieën voor serieus, echt geld!

IN EEN NOTENDOP

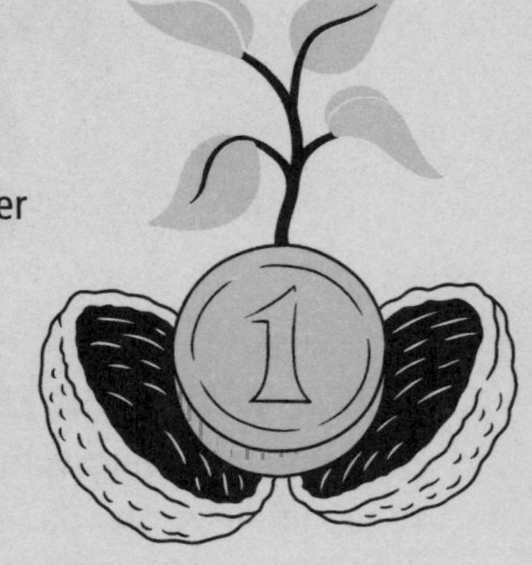

- **JE GELD INVESTEREN** kan je nog meer opleveren dan sparen.
- **ER ZIJN ALLERLEI MANIEREN OM TE INVESTEREN,** van aandelen, obligaties en termijndeposito's tot kunst, vastgoed en cryptogeld.
- **ALS JE EEN AANDEEL KOOPT, KOOP JE EEN DEEL VAN EEN BEDRIJF.** Als dat bedrijf goed loopt, deelt het de winst soms met de aandeelhouders in de vorm van dividend.
- **LOOPT EEN BEDRIJF GOED? DAN WIL IEDEREEN ER EEN STUKJE VAN KOPEN.** De prijs van de aandelen stijgt daardoor. Je investering wordt dus meer waard en je krijgt meer geld als je je aandeel verkoopt.
- **LOOPT EEN BEDRIJF SLECHT? DAN DAALT DE PRIJS VAN DE AANDELEN** – en dus ook de waarde van je investering.
- **MILJARDAIR WARREN BUFFETT VINDT DAT JE NAAR DE WAARDE VAN EEN BEDRIJF MOET KIJKEN** als je investeert. Investeer in degelijke bedrijven. Dat zijn blijvertjes!
- **WEET WAAR JE HET OVER HEBT.** Dat geldt voor álles. Je moet weten waar je in investeert! Als iets te ingewikkeld is, kun je er waarschijnlijk beter ver vandaan blijven.
- **DE WAARDE VAN BIJNA AL DEZE INVESTERINGEN KAN STIJGEN EN DALEN.** Onthoud dus: **SPREID JE KANSEN.** Spreid, spreid, spreid!

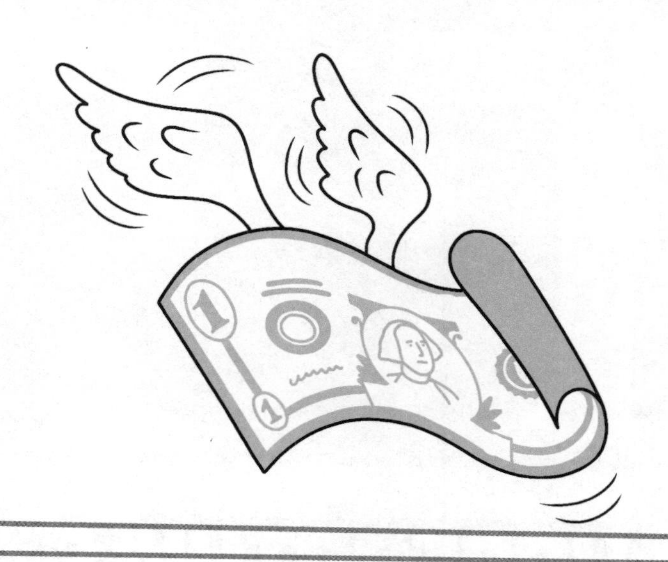

DAT WAS EEN HOOP GEKLETS OVER GELD VERDIENEN, GELD UITGEVEN, GELD SPAREN EN GELD LATEN GROEIEN. NU IS HET TIJD VOOR HET LEUKE GEDEELTE: JE GELD WEGGEVEN.

HOOFDSTUK 6
GELD WEGGEVEN

We hebben een hoop besproken. Je bent klaar om geld te verdienen, het verstandig en binnen budget uit te geven en je weet dat je een deel ervan moet sparen en laten groeien. Je weet dat je moet mikken op VERMOGEN en niet alleen op een goed inkomen. Maar nu komt het: hoe groter je vermogen, hoe meer je kunt weggeven.

WAAROM ZOU JE JE GELD WEGGEVEN?

Omdat het **GOED IS OM TE GEVEN** en omdat je een goed mens bent. Toch? Als je dit boek leest is de kans groot dat je het sowieso al veel beter hebt dan de meerderheid van de mensen wereldwijd. Er is nogal veel ongelijkheid en onrechtvaardigheid. Mensen worstelen met basisbehoeften als genoeg eten, onderwijs en toegang tot medicijnen. Sommige mensen hebben niet eens een veilig thuis. En de planéét worstelt ook. Complete ecosystemen zitten diep in de problemen. Al die uitdagingen klinken groot en eng, maar je kunt er iets aan doen. Er zijn groepen en organisaties die de wereld beter maken, stap voor stap, en jij kunt daaraan meehelpen. Door te **GEVEN**.

Geven is goed – en het **VOELT** goed. Dat is niet waarom je het doet, maar het is wel een fijne bijkomstigheid. Als je iets geeft, maakt je lichaam feelgood-stofjes aan die endorfines heten. Weer dat sprankeltje geluk – het warme, zachte gevoel van iets dóén en iets bijdragen aan een betere wereld. Mensen zijn sociale wezens. We zijn gemaakt om voor anderen te zorgen en ze te helpen. Zijn we niet lief? Nou ja, sóms wel...

WELKE GOEDE DOELEN KUN JE STEUNEN?

Dat hangt ervan af. Waar geloof je in? Wat vind je belangrijk? Wat vind je dat er misgaat in de wereld? Wat maakt je boos? Wat irriteert je **MATELOOS?** Wat maakt je zo verdrietig dat je hart er pijn van doet? Misschien hoor je ergens iets wat je aandacht trekt. Er zijn in elk geval honderdduizenden organisaties die mooie dingen doen, op allerlei vlakken:

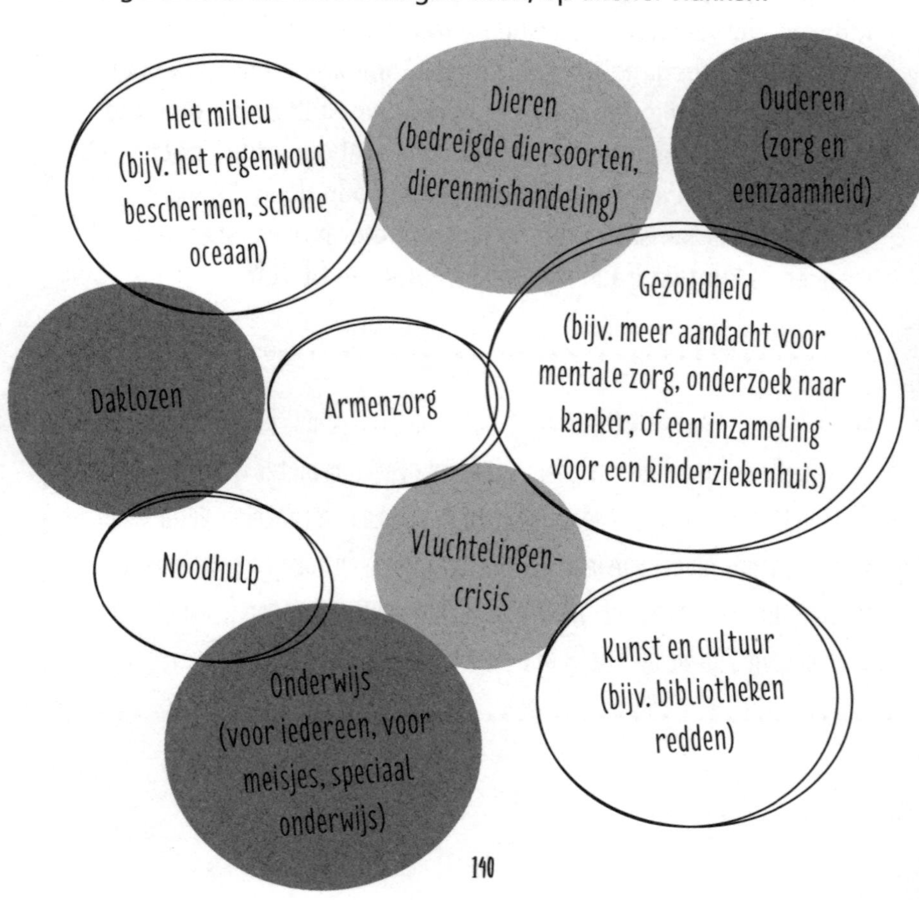

VOLUNTEER

Als je een doel vindt waar je je fijn bij voelt, kijk dan wie daar in je omgeving iets mee doet. Vraag jezelf af: wil ik een lokale organisatie steunen? Zo ja: hoe lokaal? Moet het een superlokaal communitygebeuren zijn? Of juist iets lokaals in een ander land? Misschien wil je wel bijdragen aan een GROOT, wereldwijd probleem. Er is geen goed of fout. Het is jouw geld, dus jij beslist.

WELKE ORGANISATIES KUN JE STEUNEN?

Doe wat speurwerk. Pluis organisatiewebsites uit: kijk wat ze de afgelopen tijd hebben gedaan en wat ze zeggen dat ze gaan doen. Zoek video's op over wie ze zijn, welk doel ze steunen en hoe ze dat doen. Googel beoordelingen en reviews. Kijk waar mensen over de organisatie praten en hun ervaringen delen.

VRAGEN DIE JE JEZELF KUNT STELLEN:

Kunnen ze heel simpel uitleggen waar ze in geloven en wat ze doen? ECHT simpel? Als ze dat niet kunnen, en je er – hoe schattig en lief en knuffelig het ook klinkt – een onbestemd gevoel van krijgt, dan is dit waarschijnlijk NIET de organisatie voor jou. Dat geldt ook voor investeringen. En geld weggeven is een investering in de wereld.

Zijn ze oprecht? Helaas is dit een terechte vraag. Sommige organisaties zijn oplichters. Afschuwelijk, hè? Ze zeggen alles wat je wilt horen, maar doen vervolgens niks. Of ze doen wel wat, maar heel halfslachtig. Laat zulke organisaties links liggen en blijf er ver vandaan.

Wat zijn hun doelen en hoe gaan ze die bereiken? Je wilt het liefst een organisatie steunen met een **PLAN**. Echte stappen die ze kunnen nemen – en die ze nu al nemen. Hoe meten ze hun prestaties? Idealiter doen ze goed onderzoek en checken ze ook zelf of ze hun doelen bereiken.

Wat kan jouw geld DOEN? Sommige organisaties vertellen je wat ze precies kunnen doen met verschillende geldbedragen.

VAN € 3 PER MAAND KUNNEN WE EEN THERMODEKEN KOPEN OM EEN VLUCHTELING WARM TE HOUDEN

VAN € 15 PER MAAND KUNNEN WE SCHOOLBOEKEN KOPEN ZODAT 50 GEVLUCHTE KINDEREN KUNNEN BLIJVEN LEREN

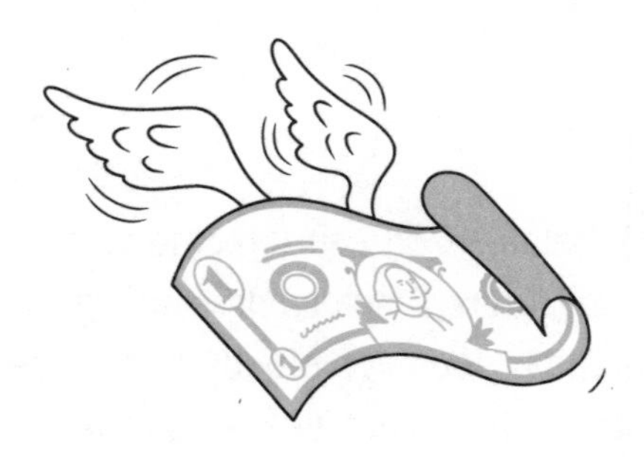

Net als met alles in het leven geldt: hoe meer geld je wilt weggeven, hoe meer onderzoek je moet doen.

HOEVEEL ORGANISATIES KUN JE STEUNEN?

Met maximaal vijf organisaties haal je het meeste uit je donaties. Je wilt je geld namelijk niet te dun uitsmeren. Als je 50 euro zou hebben, kun je 50 euro aan één organisatie geven, of 1 cent aan vijfduizend organisaties. In het tweede geval steun je weliswaar meer organisaties, maar met die ene cent kunnen ze vrij weinig. Tuurlijk: alle kleine beetjes helpen, maar als je 50 euro hebt en er is iets wat je wilt veranderen in de wereld, dan kun je er het beste zo veel mogelijk in stoppen!

ZO GEEF JE GELD

Misschien overweeg je een eenmalige donatie aan een organisatie. Een vast, wekelijks of jaarlijks bedrag kan **OOK**, net zoals je geld opzijzet om te sparen. Je kunt zelfs overwegen om een percentage weg te geven van al het geld dat je verdient.

ALS HET KAN, MAAK DAN EEN GEWOONTE VAN GEVEN. TRAIN JE GEEFSPIEREN!

Dingen die je echt belangrijk vindt, kun je steunen met een regelmatige donatie. Maar denk er ook over na om wat geld opzij te zetten voor dingen die onverwachts gebeuren, zoals een inzamelingsactie na een natuurramp. Een soort OH-OOH-potje met een twist: dit is niet voor als je zelf in de problemen zit, maar als iemand ánders hulp nodig heeft.

HOEVEEL GEEF JE?

Warren Buffett heeft zich voorgenomen om 99 procent van zijn vermogen weg te geven. Da's een **HOOP** geld. In 2010 zette hij samen met zijn miljardairvrienden Bill en Melinda Gates zelfs The Giving Pledge op, een organisatie om miljardairs te stimuleren om meer dan de helft van hun vermogen aan goede doelen te geven. Tot nu toe doen er wereldwijd meer dan 200 miljardairs mee. Fantastisch, toch?

Jouw donatie hoeft natuurlijk niet **ZO GROOT** te zijn. Elke cent die je weggeeft is een cent die je niet spaart of investeert. Alleen al die beslissing om die cent aan iemand anders te geven is gul. Dat neemt niemand je meer af. Begin dus met een bedrag waar je je prettig bij voelt. Te weinig bestaat niet. Misschien word jij op een dag ook wel een **GROTE GEVER!**

DE HALL OF FAME VAN GROTE GEVERS

ANDREW CARNEGIE – Toen de Schotse Carnegie zijn staalbedrijf in 1901 verkocht, was hij een van de rijkste mannen ter wereld. Hij gebruikte zijn vermogen onder andere om meer dan **2500** bibliotheken te bouwen. Tegen de tijd dat hij stierf, in 1919, had hij **90 PROCENT** van zijn fortuin weggegeven (miljarden, omgerekend naar nu).

J.K. ROWLING – Je kent deze schrijver misschien wel van de *Harry Potter*-boeken. Maar wist je dat ze ook een grote gever is? Ze heeft miljoenen gedoneerd aan zaken als medisch onderzoek en eenoudergezinnen. Lumos, haar liefdadigheidsorganisatie, helpt kinderen in weeshuizen wereldwijd om hun familie te vinden. (Als je een *Harry Potter*-fan bent, weet je dat Lumos vernoemd is naar een spreuk die licht brengt op donkere plekken!)

AZIM PREMJI – Premji is een techmiljardair die al meer dan **17 MILJARD** euro van zijn vermogen heeft gedoneerd om scholen in India (vooral in plattelandsgebieden) en het leven van straatkinderen te verbeteren. Stel je voor dat jij zo veel kon weggeven. Wat zou je ermee doen? Premji vindt onderwijs belangrijk. Welke onderwerpen betekenen zo veel voor jou?

TONY ELUMELU – Deze Nigeriaanse investeerder en zakenman heeft Afrika op allerlei manieren gesteund. In 2015 gaf hij 10.000 Afrikaanse ondernemers elk zo'n 9000 euro om hun bedrijf verder op te zetten. En in 2017 gaf hij bijna **450.000** euro aan Sierra Leone om mensen te helpen na de overstromingen en modderstromen.

GOED GEVEN

Laaaaang geleden, toen we het hadden over geld uitgeven, hadden we het ook over **keuzes maken.** Eén keus die je kunt maken is van wie je iets koopt. Geld uitgeven is een soort KRACHT. En het doet ertoe wáár je het uitgeeft.

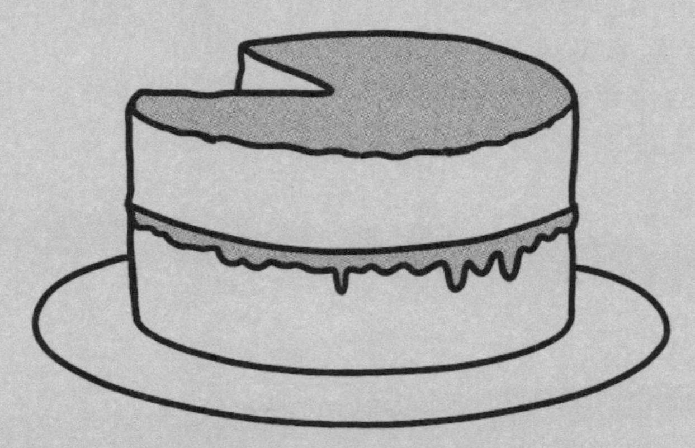

JE CHOCOLADETAART DELEN

Voordat je je geld kunt uitgeven, moet je belasting betalen. Zodra je straks die droombaan hebt en je eerste salarisstrook krijgt, zie je dat een deel van je salaris VERDWIJNT. Als je daarnaast nog een bijbaantje hebt, of freelance werkt, moet je dat doorgeven en daar ook belasting over betalen. POEF! Zomaar een deel van je zuurverdiende centen weg. Toch is het belangrijk dat dit gebeurt. Stel, het geld dat je verdient is een chocoladetaart. Je kunt die HELE taart niet alleen opeten (dat zou gierig zijn), dus je geeft een punt aan de overheid als belasting. Als je taart maar KLEIN is, hoef je niet te delen. Maar als je taart ENORM is, geef je een grotere punt dan bij een middelmatige taart.

Vraag je je af wat de overheid met dat belastinggeld doet? Ze bouwen en onderhouden er wegen mee, ziekenhuizen, scholen, parken en bibliotheken. Ze betalen de hulpdiensten ermee. Daardoor kunnen we állemaal van die diensten gebruikmaken, hoe groot of klein onze chocoladetaart ook is. Dus als het zover is: **BETAAL JE BELASTING.** Dat betekent echt iets voor de wereld om je heen.

BEDRIJVEN DIE *EERLIJKHEID* BELANGRIJK VINDEN

Voor alles wat je koopt heeft iemand ergens materialen verbouwd (zoals cacaobonen voor je chocolade en katoen voor je T-shirt). Denk eens aan diegene en aan zijn of haar familie. Ze verdienen een eerlijk loon en veilige werkomstandigheden, toch? Via je uitgaven kun je daaraan bijdragen. Zoek als je winkelt naar fairtrade-logo's. Producten met zulke logo's zijn gecertificeerd, wat betekent dat het bedrijf erachter eerlijk handelt.

KOO
D

BEDRIJVEN DIE EEN PERCENTAGE VAN DE PRIJS OF DE WINST AAN GOEDE DOELEN GEVEN

Soms doen ze dit alleen met een bepaald product; soms met alles wat ze verkopen. Als je dat product toch al ging kopen, is dit een fijne, makkelijke manier om tegelijkertijd iets te doneren. Kom je een bedrijf tegen dat zoiets doet? Onderzoek welke organisaties ze steunen.

Bij sommige supermarkten kun je eten doneren aan de voedselbank. Soms kan dat online en soms staat er een doos in de winkel waar je het eten in kunt doen. Je kunt ook een paar impulsaankopen uit je winkelmandje halen en dat geld doneren.

BEDRIJVEN DIE SOCIALE PROBLEMEN OPLOSSEN

Sommige bedrijven zijn letterlijk opgericht voor goede dingen. Ze leiden bijvoorbeeld mensen op en nemen mensen in dienst die moeilijk aan een baan kunnen komen. Of ze maken waterfilters en regelen tegelijkertijd betaalbaar drinkwater op plekken waar dat hard nodig is. Als je zulke bedrijven steunt, steun je ook hun goede doel.

KRINGLOOPWINKELS

Winkelen bij een kringloopwinkel is ook een manier van geven. Sommige kringloopwinkels geven hun winst namelijk aan goede doelen waaraan ze verbonden zijn (maar onthoud: **winst** is wat er overblijft nadat ze alle bedrijfskosten hebben betaald, en die kosten kunnen best hoog zijn). Extra fijn aan een kringloopwinkel is dat je ook nog eens spullen hergebruikt en recyclet die anders bij het grofvuil zouden belanden. Je draagt dus ook een steentje bij aan het milieu!

GOED INVESTEREN

Wil je je geld investeren? Zoek dan bedrijven die oog hebben voor mensenrechten, dierenrechten en het milieu. Ik WEET het: dat zouden álle bedrijven moeten doen – maar de realiteit is helaas anders. Gelukkig zijn er genoeg die het goede voorbeeld geven.

GOED WERK

Je kunt ook geven door een baan te zoeken bij een **GOED** bedrijf. Ergens waar ze eerlijkheid en het milieu belangrijk vinden en waar ze het juiste doen. Als je je eigen onderneming begint, kun je ervoor zorgen dat het een **GOEDE** onderneming is. Laat je producten bijvoorbeeld maken door mensen die het werk goed kunnen gebruiken. Of help mensen via je onderneming om hun plasticgebruik te verminderen, zoals LUSH doet met verpakkingsvrije zeep en cosmetica (dat bedrijf doneert trouwens ook geld aan milieuorganisaties). Misschien bedenk je wel iets om andere mensen te helpen met ondernemen en financieel onafhankelijk te worden. Net als Muhammad Yunus met zijn Grameen Bank.

MUHAMMAD YUNUS' GRAMEEN BANK IN BANGLADESH

In de jaren zeventig zag Yunus dat er in Bangladesh mensen waren die spullen of diensten wilden gaan verkopen om zichzelf uit de armoede te werken. Ze kregen alleen geen lening van de bank, omdat de banken bezorgd waren dat ze hun geld niet terug zouden krijgen. Yunus besloot te helpen door zijn eigen geld rentevrij uit te lenen aan 42 mensen. Het waren maar kleine leninkjes; elke ondernemer had maar zo'n 20 euro nodig voor grondstoffen. En het werkte! Daarom richtte Yunus de Grameen Bank op, met een specialisatie in microkredieten. (Een krediet is een lening, en een microkrediet is – drie keer raden – een heel kleine lening.)

Yunus' microkredietproject begon klein, maar inmiddels heeft de Grameen Bank geld uitgeleend aan meer dan 9 miljoen mensen in Bangladesh (van wie 97 procent vrouwen!). Die konden daardoor hun eigen bedrijf beginnen en hun families onderhouden. Yunus en de Grameen Bank kregen in 2006 de Nobelprijs voor de Vrede. Nu zijn er zelfs vestigingen in landen als Amerika, want overal ter wereld zijn er mensen die moeilijk een lening kunnen krijgen. En als het even kan, wil niemand in de handen van een woekeraar vallen!

GEEF OP JE EIGEN MANIER

Je zou je nooit gedwongen moeten voelen om geld te geven. Er zijn organisaties en actievoerders die je een schuldgevoel aanpraten als je het niet doet – maar is geld geven vanuit blijdschap en gulheid niet **VEEL** fijner dan geld geven omdat iemand je het gevoel geeft dat je een slecht mens bent als je het niet doet? Als je geeft, beslis JIJ wanneer, aan wie en hoeveel. Te weinig bestaat niet, wat anderen ook zeggen. Er zijn talloze manieren waarop je kunt geven: regelmatig, eenmalig... Je kunt zelfs wat geld opzijzetten voor onvoorziene goede doelen. Wat je ook kiest, je donatie moet uit jezelf komen.

TIJD GEVEN

Misschien heb je op dit moment te weinig (of geen) geld om weg te geven. Dat is **PRIMA**, want je hebt wel iets anders: **TIJD**. Als je geen geld kunt doneren, kun je altijd je tijd en enthousiasme inzetten voor iets waar je in gelooft – in de vorm van vrijwilligerswerk.

Weet je niet waar je kunt vrijwilligen? Gebruik dan hetzelfde stappenplan dat we gebruikten om te kijken wat je met je geld ging doen. Denk na over dingen die je belangrijk vindt en zoek organisaties die daarbij passen. Sommige dingen kun je misschien gelijk al doen. Heeft je school iets nodig? Kan de lokale bibliotheek wel wat steun gebruiken? Is er een gaarkeuken waar je kunt bijspringen? Misschien besteed je je tijd wel aan bewustzijn creëren rond problemen zoals de klimaatcrisis. Dat kan in je eentje, maar je kunt ook samenwerken met anderen voor nóg meer impact.

IN EEN NOTENDOP

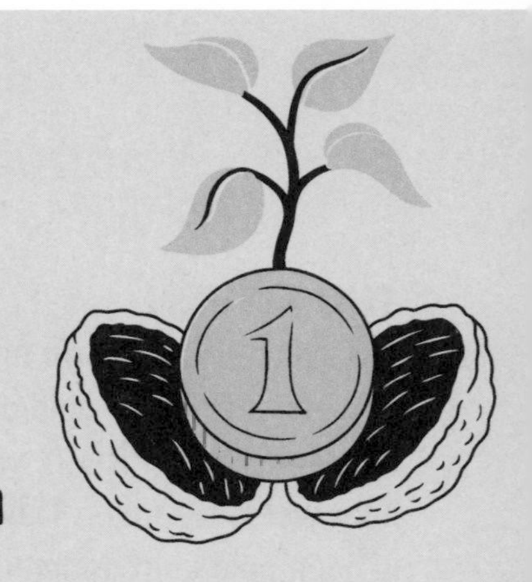

✱ **WE KUNNEN VEEL DOEN OM DE WERELD TE VERBETEREN.** Geven is goed (en zo voelt het ook).

✱ **ER ZIJN ZO VEEL GOEDE DOELEN OM TE STEUNEN.** Kies iets wat echt je aandacht trekt.

✱ **KIJK WELKE ORGANISATIES AL IETS DOEN** en verricht wat speurwerk. Zorg dat je zeker weet dat de organisatie in orde is en onderzoek wat ze met jouw geld kunnen doen.

✱ **STEUN TUSSEN DE ÉÉN EN VIJF ORGANISATIES,** zodat je je geld niet te dun uitsmeert.

✱ **LATER GAAT EEN DEEL VAN JE INKOMEN NAAR DE BELASTING.** Als je inkomen een chocoladetaart is, is die belasting één punt die naar de overheid gaat. Is je taart klein? Dan betaal je weinig tot niks. Is-ie groot? Dan betaal je veel.

✱ **BELASTING IS BELANGRIJK.** De overheid betaalt er dingen mee als scholen, ziekenhuizen en hulpdiensten.

✱ **UITGEVEN = KRACHT.** Geef je geld uit bij **GOEDE BEDRIJVEN.** Op die manier wordt elke uitgave een donatie.

✱ ALS JE INVESTEERT, DOE DAT DAN IN GOEDE BEDRIJVEN.
Zoek bijvoorbeeld fondsen die financiële én sociale of maatschappelijke winst opleveren.

✱ MAAK EEN VERSCHIL ALS JE GELD VERDIENT.
Werk voor bedrijven die goede dingen doen. Start ondernemingen die goede dingen doen.

✱ GEEF OMDAT JE HET WILT.
En onthoud: jij beslist hoeveel je wilt geven en aan wie. Alle kleine beetjes helpen. Begin klein, vandaag nog. Misschien ben je op een dag dan wel een **GROTE GEVER.**

✱ JE KUNT GELD DONEREN, maar je kunt ook **TIJD** geven.

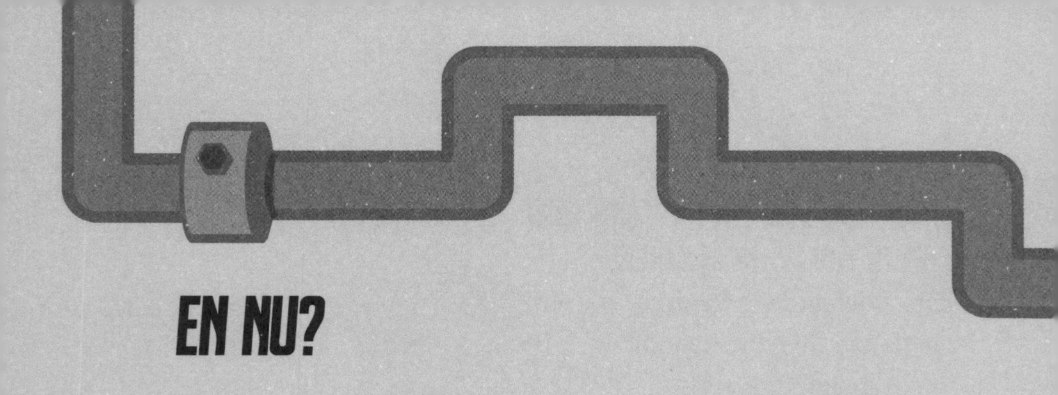

EN NU?

ZO. DAT WAS HET. VOLGENS MIJ HEB JE NU ALLES WAT JE NODIG HEBT.

Je weet **ALLES** over geld. Of nou ja, alles wat je nodig hebt om te beginnen. Als je wilt, valt er nog veel meer te leren, maar de basis hebben we nu gehad. Je weet hoe je het verdient. Je weet dat je moet kiezen wat je ermee wilt doen en dat je moet prioriteren: de belangrijke dingen gaan voor de kom-op-je-weet-dat-je-dit-echt-niet-nodig-hebt-spullen. Je kent het verschil tussen iets nodig hebben en iets willen. Je ruikt een onbetrouwbare deal al vanaf een kilometer afstand en je valt **NIET** voor de sneaky trucjes van reclamemakers. Sterker nog, je hebt je eigen geheime wapen in de strijd tegen steeds maar meer willen: je weet hoe je tevreden moet zijn met wat je hebt. Daar kunnen die reclamemakers niet tegenop!

Je bent ook een kei in budgetteren. Je zorgt ervoor dat je niet boven je budget uitkomt, en als dat toch dreigt te gebeuren, beperk je je uitgaven of bedenk je een manier om wat extra geld te verdienen. In de toekomst zou het kunnen dat je een keer geld moet lenen. In dat geval ga je het geld supergefocust terugbetalen. **WAT JE OOK DOET:** je **BELOOFT** ver weg te blijven van die griezelige **WOEKERAARS**.

Je weet dat je van sparen een gewoonte moet maken. Je bent uitgerust met tig ideeën om meer te sparen, zodat je nóg meer kunt sparen. Je weet ook waar je je spaargeld bewaart, toch? Onder je matras, toch? **FOUT**. Je zet alles op de bank. Er zijn allerlei verschillende bankrekeningen waaruit je kunt kiezen (en met een spaarrekening krijg je meer rente dan met een betaalrekening).

Als je je geld wilt laten groeien, zit je goed. Je weet dat dat op heel veel manieren kan. De ene klinkt weliswaar nog afschuwelijk veel saaier dan de andere (beurzen, obligaties, termijndeposito's… wie bedénkt die namen?), maar het is goed dat je er nu van weet. Je kunt ook investeren in leukere dingen, zoals kunst en goud en cryptogeld. Dat kun je zelf doen of via een fonds. Maar onthoud wat Warren Buffett zei: zorg dat je weet wat je doet!

Tot slot weet je hoe je je geld weggeeft. Je weet dat hoe groter je vermogen is, hoe meer geld je kunt doneren. Geld heeft een slechte reputatie, maar je kunt er wel heel goede dingen mee doen. Het hangt allemaal af van de keuzes die je maakt. En zelfs als je geen geld hebt om weg te geven, kun je altijd je tíjd doneren. Daar kun je ook goede dingen mee doen.

Dus. Nu je dit allemaal weet, zou ik zeggen: ga naar buiten, onze **FANTASTISCHE** wereld in, en **GENIET.** Verdien geld – veel geld. **GEEF HET UIT** op een manier waar je blij van wordt. **SPAAR HET,** als appeltje voor de dorst. Spaar het voor een boomgaard, hoewel ik hoop dat je het nooit nodig hebt. **LAAT HET GROEIEN.** Verdeel het over investeringen waar je in gelooft en kijk hoe het meer wordt dankzij de samengestelde rente, onze superheld. Werk aan je vermogen en leef het leven waar je altijd van droomde. En geef. **GEEF GUL.** Begin klein, zorg dat je je er prettig bij voelt. Misschien ben je op een dag dan wel een grote gever. Dat hoop ik. Ik geloof dat je dat kunt. (Vind je dat te cheesy? Ach, ik hou van kaas.) Oké, heus, ik snap het: dit klinkt allemaal ongelooflijk ver weg. Dus laten we kijken naar **VANDAAG.** Met een paar kleine dingen kun je vandaag al een bijdrage leveren aan een betere wereld. Koop van goede bedrijven, geef je centen weg en doneer je tijd aan wie het maar kan gebruiken.

GELD HEEFT EEN SLECHTE REPUTATIE. EEN HEEL SLECHTE REPUTATIE. LATEN WE DAT VERANDEREN. VANAF NU.